Mosaik
bei GOLDMANN

Buch

Die Sex-Expertin Lou Paget verrät Männern, wie sie Frauen im Bett und anderswo besondere Lust und unvergessliches Vergnügen bereiten können. Sie gibt ihren Lesern genaue und offene Anleitungen für erotische Berührungen am ganzen Körper, weiht sie in die Kunst des Oralsex ein, hat aufregende Stellungen parat und zeigt, was man so alles mit Sexspielzeug anstellen kann. Ihre Tipps basieren auf ihren Erfahrungen in zahlreichen Seminaren und sind tausendfach erprobt. Und weil Liebe auch Verantwortung bedeutet, informiert die Autorin darüber hinaus über sexuell übertragbare Krankheiten und sichere, sinnliche Verhütungsmethoden für sie und ihn.

Autorin

Lou Paget ist Sex-Expertin und -beraterin. Seit 1993 veranstaltet sie Seminare zu den Themen Sexualität und Aids. Artikel über sie und ihre Arbeit sind bereits in großen Zeitschriften wie »Cosmopolitan« und »Playboy« erschienen.

Von Lou Paget bei Mosaik bei Goldmann außerdem erschienen:

Die perfekte Liebhaberin (16263)
Der Super-Orgasmus (16378)

LOU PAGET

Der perfekte Liebhaber

Sextechniken,
die *sie* verrückt machen

Aus dem Amerikanischen
von Beate Gorman

Mosaik
bei GOLDMANN

Umwelthinweis:
Alle bedruckten Materialien dieses Taschenbuches
sind chlorfrei und umweltschonend.

Deutsche Erstausgabe Mai 2001
© 2001 der deutschsprachigen Ausgabe
Wilhelm Goldmann Verlag, München,
ein Unternehmen der Verlagsgruppe Random House GmbH
© 2000 Lou Paget
Originaltitel: How to Give Her Absolute Pleasure
Originalverlag: Broadway Books, New York
Umschlaggestaltung: Design Team, München
unter Verwendung folgender Fotos:
Premium/Slide File
Redaktion: Dagmar Rosenberger
Satz/DTP: Martin Strohkendl
Druck: GGP Media, Pößneck
Verlagsnummer: 16343
Kö · Herstellung: Max Widmaier
Printed in Germany
ISBN 3-442-16343-9
www.goldmann-verlag.de

9 10 8

Inhalt

Für meinen Vater, Kenneth Kane Paget,
den ersten Mann, den ich
von ganzem Herzen geliebt habe.

Für all die Männer in meinen Seminaren,
die den Mut hatten, ihre Wünsche zu äußern,
und für alle anderen Damen und Herren,
die mir ihre Ideen offenbart haben.
Sie haben diesem Buch seine Seele und seine
Blickrichtung gegeben. Für alle Männer,
die um dieses Buch gebeten haben.
Sie sind der Grund, warum ich es
geschrieben habe.

1. Kapitel

Das Yin und Yang des KamaLoutra

Dieses Buch ist für Sie, meine Herren

Ich kann mich noch gut an den Augenblick erinnern, als mir bewusst wurde, wie frustriert Männer in Sachen Sex sind. Der Wendepunkt kam an einem Abend vor vier Jahren. Es war ein Samstag Ende Mai und ich war gerade bei Freunden eingetroffen, die ein Abendessen gaben. Auf der Autobahn hatte ich in einem Verkehrsstau gesteckt und traf deshalb als letzter Gast ein. Ich war müde und hatte meine Begeisterung für die Party verloren, aber ich gab mir alle Mühe, höflich, charmant und gut gelaunt zu sein. Ich setzte mich zu einem Herrn, der um die vierzig war, und stellte mich vor. Wir kamen ins Gespräch und er erzählte mir, dass er Fernsehproduzent sei. Dann fragte er mich, was ich beruflich mache. Ich errötete kurz, bevor ich mit der Sprache herausrückte. Eigentlich hätte es mir nicht peinlich sein müssen zu sagen, was ich beruflich tue, denn schließlich machte ich es bereits seit drei Jahren, aber irgendwie fühlte ich mich etwas gehemmt. Schließlich sagte ich so zurückhaltend wie möglich: »Ich veranstalte Sexseminare für Frauen.« Ohne mit der Wimper zu zucken, schaute er mir direkt in die Augen und fragte: »Geben Sie auch Seminare für Männer? Wir könnten sie dringend gebrauchen.«

Da wurde mir bewusst, dass Männer genau wie Frauen in
Bezug auf Sex neugierig sind, sich aber oft nicht trauen zu fragen. Die meisten Männer glauben nämlich, es werde von ihnen
erwartet, dass sie *bereits* alles über Sex wissen, so, als sei dieses
Wissen Teil ihres Y-Chromosoms und komme mit dem ersten
Barthaar an die Oberfläche. Während es für Frauen ganz in
Ordnung ist, nicht über dieses Wissen zu verfügen, fühlen sich
viele Männer dem Druck ausgesetzt, ein Lexikonwissen in Sachen Sex besitzen zu müssen. Dies ist natürlich nicht nur völlig
falsch, sondern auch eine unfaire Last für Männer.

Die Lösung dieses Problems ist einfach. Als Erstes muss
Männern die Erlaubnis gegeben werden, Fragen zu den Dingen zu stellen, die sie nicht wissen oder bezüglich derer sie sich
in Sachen Sex nicht wohl fühlen. Vielleicht noch wichtiger ist,
dass Männer erkennen, dass alle Frauen unterschiedlich sind
und daher anders behandelt werden wollen. Es ist deshalb unmöglich zu wissen, was für eine Frau angenehm ist, wenn man
sie nicht danach fragt. Schließlich müssen Männer sich klar
machen, dass die Wissenslast in Sachen Sex nicht nur ihre
Sache ist. Sowohl Männer als auch Frauen sollten dafür verantwortlich sein zu lernen, wie sie einander befriedigen können. Auf dieser Basis kann jeder Mann zum perfekten Liebhaber werden.

Schon seit meiner Jugend wollte ich in Sachen Sex besser Bescheid wissen, doch es dauerte fast zwanzig Jahre, bis ich
selbstbewusst genug war und über das entsprechende Wissen
verfügte, um darüber zu sprechen, wie man zum Experten in
der Liebe wird. Als Frau bestand mein Dilemma darin, dass es
offenbar keine Möglichkeit gab, ein braves Mädchen zu sein
und gleichzeitig viel über Sex zu wissen. Als ich mir meiner
Neugier in Sachen Sex bewusst wurde, erkannte ich, dass es
keine sichere, verlässliche Informationsquelle gab, auf die ich

zugreifen konnte. Meine Freundinnen verfügten, was die Sexualität betraf, auch nur über beschränkte Kenntnisse. Nachdem ich mich also mit Pornoheften, Filmen und verschiedenen Büchern zu diesem Thema befasst hatte (unter anderem das *Kamasutra, The Joy of Sex* und *The Sensuous Woman*), stand ich praktisch immer noch mit leeren Händen da. Es gab keine Quelle, die mir das Gesuchte bot: verlässliche, ausführliche, vollständige Informationen in Sachen Sex. Daher begann ich, Gespräche zu führen, Fragen zu stellen und sexuelle Erfahrungen mit meinen Freundinnen auszutauschen. Von ihnen erfuhr ich, was Männer erregt und was nicht. Schließlich kann niemand besser sagen, was wirklich funktioniert, als die betroffene Person selbst.

Bald galt ich als Amateur-Sexexpertin, weil ich glaube, dass es wichtig und notwendig ist, dass allen Frauen dieses Wissen zum Thema Sex zur Verfügung steht – egal, wie alt sie sind und welche Vorgeschichte oder Erfahrungen sie haben. Ich habe die Geschichten und Berichte der Frauen gesammelt, die sich mir anvertraut hatten, und begann, diese Informationen zusammenzustellen und vor Gruppen zu präsentieren, die mir wiederum ihr Feedback gaben. So entstanden die Sexseminare für Frauen.

Es überraschte mich nicht, dass ich, nachdem diese Frauen zu ihren Ehemännern oder Partnern zurückgekehrt waren, Bitten von Männern erhielt, solche Präsentationen doch nicht nur für Frauen, sondern auch für sie zu veranstalten. Genau wie ich die Seminare für Frauen geschaffen hatte, um ihnen Informationen zum männlichen Körper zu vermitteln und ihnen zu erklären, was Frauen tun können, um Sex möglichst leidenschaftlich zu erleben, begann ich also nun, mich für die Männer auf die Suche nach Informationen zu begeben. In den letzten sechs Jahren habe ich mit Tausenden von Männern und Frauen Gespräche geführt und Erfahrungen ausgetauscht. Auf diese Weise kam es also zu den Seminaren für Männer und zu diesem Buch.

An einem Männerseminar nimmt normalerweise eine Gruppe von sechs bis zehn Männern teil, die sich nur mit dem Vornamen vorstellen. Wir sitzen an einem großen runden Tisch und ich gebe jedem Mann ein »Lehrwerkzeug«, bei dem es sich um eine Nachbildung der weiblichen Genitalien in Lebensgröße handelt. Es besteht aus einem weichen, fleischartigen Material, das nach dem Vorbild eines Pornostars geformt wurde. Ohne groß um den heißen Brei herumzureden, zeige ich den Teilnehmern, was sich für Frauen gut anfühlt und was nicht – manuell, oral oder während der Penetration, wie Frauen am leichtesten zum Orgasmus kommen und welches Spielzeug man benutzen kann, um Frauen im Bett zur Ekstase zu bringen. Diese Informationen beruhen auf den Ergebnissen meiner Feldforscher.

Die Männer, die meine Seminare besuchen, stammen aus allen Lebensbereichen – es sind Akademiker, Künstler, Athleten, Ärzte, Mechaniker, Architekten, Bauunternehmer, Schauspieler, Produzenten und Führungskräfte beim Fernsehen. Es handelt sich um eine bunte Mischung mit ganz unterschiedlichen Ausbildungsgrundlagen und den verschiedensten Persönlichkeiten. Aber sie alle wollen mehr über Sex erfahren und speziell darüber, wie sie die Frau in ihrem Leben besser befriedigen können. So sagte ein politischer Berater: »Sex verleiht mir das Gefühl von Männlichkeit im ursprünglichsten Sinn des Wortes. Nichts macht Sex mit meiner Partnerin besser als die Gewissheit, dass ich sie befriedigen kann. Wenn es also Informationen gibt, mit deren Hilfe ich dieses Gefühl noch intensiver erleben kann, dann möchte ich diese Informationen haben.« Ein anderer Seminarteilnehmer, ein Investment-Banker aus New York, erklärte, dass er sich dieses Buch aus einem anderen Grund wünsche. In Bezug auf seine Frau sagte er: »Wir sind seit zehn Jahren zusammen und ich möchte wissen, wie ich unser Sexleben interessanter gestalten und für mehr Spaß sorgen kann.« Ein Fotograf aus Palo Alto, Kalifornien, der ebenfalls an einem meiner Seminare teilnahm, meinte bloß: »Bitte sagen Sie mir einfach, was funktioniert.«

Aus ihren Äußerungen höre ich nicht nur den Wunsch, sondern den Bedarf an Tipps, die sich bewährt haben. Ein Immobilienmakler aus Philadelphia meinte frustriert: »Ich würde meine Partnerin nie um etwas bitten, das sie nicht tun möchte, aber ich würde gerne erfahren, wie ich unser Liebesleben aufregender gestalten kann. Es ist wirklich gut, aber ich möchte es noch verbessern.«

Geheimtipp aus Lous Archiv

Frauen sind wie Golfplätze. Selbst wenn Sie schon hundert Mal auf einem Platz gespielt haben, ist es unwahrscheinlich, dass der Ball zweimal an derselben Stelle auf dem Grün landet. Außerdem müssen Sie Ihr Putt dem Zustand des Grüns anpassen – manchmal ist es trockener, manchmal nasser. Doch das Wichtigste beim Golf ist (genau wie beim Sex) die Finesse. Es wird auf keinen Fall wie Hockey gespielt – nach dem Motto: »Er schießt und macht Punkte!«

Ich habe dieses Buch für Sie, meine Herren, geschrieben, weil Sie es verdienen. Wie hätte ich der immer lauter werdenden Forderung (Freunden, Ehemännern, Partnern) widerstehen können, die nach einem Buch verlangen, das ihnen zeigt, wie sie der Frau in ihrem Leben höchstes Vergnügen bereiten können? Hier ist es also.

So werden Sie zum perfekten Liebhaber

Während meiner Seminare, die ich in den letzten sieben Jahren abgehalten habe, konnte ich viel über die männliche und die weibliche Sexualität und die Psychologie von Männern und Frauen erfahren. Das Wissen in diesem Buch habe ich durch Zuhören und Beobachten und das Feedback von Tausenden von Männern und Frauen gesammelt, die mir anvertraut haben, was bei ihnen beim Sex funktioniert und was nicht und was sie vermissen. Möchten Sie nicht auch wissen, was Frauen wirklich wollen, was ihnen gefällt und was nicht? Ich möchte Ihre Vertraute sein, eine Übersetzerin und Vermittlerin der versteckten Begierden und Wünsche der Frauen. Zwischen diesen beiden Buchdeckeln habe ich sowohl für ihren als auch Ihren Gewinn die praktischsten und zuverlässigsten Informationen zusammengetragen, die es zum Thema weibliche Sexualität gibt. Wenn Sie glauben, dass man sexuelles Können nur durch das Zusammensein mit geschickten, sensiblen und informativen Liebhabern gewinnt, betrachten Sie dieses Buch einfach als eine Geliebte, die ihr Wissen mit Ihnen teilt – und sie weiß eine Menge!

Sie können mich auch als Ihre Trainerin betrachten. Im Sport ist es ganz selbstverständlich, einen Trainer zu haben, genau wie es im Geschäftsleben üblich ist, sich mit einem Mentor zu beraten. Ich gebe zwar nicht vor, ein Sexdoktor zu sein, aber ich bin überzeugt, dass meine so genannte »Feldforschung« die nötige Kompetenz verleiht, Ihnen zu zeigen, was Ihre Partnerin so anmacht und erregt, sodass sie ekstatisch Ihren Namen schreit. Ich werde Ihnen Tipps zur Perfektion Ihres »Liebesspiels« verraten und auf die Dinge hinweisen, die Sie bisher möglicherweise daran gehindert haben, ihr absolutes Vergnügen zu bereiten. Ich werde Ihnen sagen, wie es vom Standpunkt einer Frau aus wirklich ist, und ich werde dabei keine Details auslassen. Ich werde bei meiner Arbeit als Trainerin nicht abschweifen, sondern Sie auf den direkten Weg des gemeinsamen Genusses führen.

Dieses Buch ist der erste Schritt, um ein perfekter Liebhaber zu werden. Um von einem kompetenten Liebhaber zum wahren Könner zu werden, der der Partnerin grenzenloses Vergnügen bereiten kann, müssen Sie nicht nur die bewährten Techniken eines meisterhaften Verführers erlernen, sondern auch die Offenheit, den Willen und die Bereitschaft entwickeln, solche Perfektion zu erlangen.

Der perfekte Liebhaber zeigt, wie Frauen befriedigt, verwöhnt und erregt werden. Ich gehe also davon aus, dass Sie, lieber Leser, das sexuelle Spiel nicht nur für Ihr eigenes Vergnügen beherrschen wollen – vielmehr ist Ihre Partnerin dabei sehr, sehr wichtig und ihre Befriedigung liegt Ihnen am Herzen. Obwohl es in erster Linie natürlich die Frau in Ihrem Leben ist, die die Geheimnisse dieses Buches genießen wird, werden Sie das Vergnügen, das Sie Ihrer Partnerin bereiten, mit Zins und Zinseszins zurückbekommen. Beim Sex geht es nämlich wie bei allen Unternehmungen beruflicher, spiritueller, physischer oder emotionaler Art auch um Synergien. Wenn Sie Ihrer Partnerin Genuss bereiten, wird auch Ihr Vergnügen gesteigert. Ein Arzt aus Seattle beschrieb es so: »Es gibt für mich kein besseres Gefühl als das Wissen, dass ich sie befriedigt und ihr ein tolles Gefühl gegeben habe. Allein darum geht es beim Sex.« Ein anderer Mann meinte: »Wie die meisten anderen Männer möchte ich nicht, dass alle Welt weiß, was ich in unseren intimsten Augenblicken mit meiner Frau tue. Frauen sprechen untereinander vielleicht über Sex, aber wir Männer tun oder können es nicht. Aber mein männlicher Stolz hob ab, als meine Frau mir sagte, dass ich der Mann bin, den ihre Freundinnen am liebsten klonen würden, und dass *ich* das Thema ihrer Gespräche bin!«

> *Geheimtipp aus Lous Archiv*
>
> Die Verwendung von Lippenstift hat ihren Ursprung wohl darin, dass die Lippen durch rote Farbe das Aussehen der erregten, durchbluteten Schamlippen erhalten sollten. Im Tierreich ist dies für das Männchen der Hinweis, dass das Weibchen zur Paarung bereit ist.

Bei der Vorbereitung und Durchführung der Seminare stellte ich fest, dass zuverlässige und brauchbare Informationsquellen in Sachen Sex auch für Männer sehr begrenzt sind. Die üblichen Quellen, die Männer nutzen, um etwas über Sex zu erfahren, sind einseitig und unvollständig. Pornografie für Männer – in Zeitschriften und Filmen – ist aus drei Gründen problematisch. Zum Ersten werden die meisten Pornohefte und -filme mit dem optischen Stimulations-/Fantasiefaktor als treibender Kraft geschaffen und sind daher oft unrealistisch. Zweitens »programmieren« sie Männer darauf, beim Sex unrealistische Erwartungen zu haben, sodass sie enttäuscht reagieren, wenn ihre Partnerin oder ihr Körper das Erwartete nicht liefern. Drittens zielen diese Filme und Zeitschriften nur auf Männer ab, wobei sie die Hälfte der Bevölkerung (die Frauen nämlich) ignorieren. Das heißt, die Dinge, die den Frauen gefallen, werden nicht ausreichend oder nicht richtig dargestellt.

Obwohl ich nichts gegen visuelles Material habe, das Männer stimuliert, ist es meiner Meinung nach wichtig zu wissen, dass einige dieser Fantasien zwar im Kopf funktionieren und erregen können, aber nicht im echten Leben. Setzen Sie diese Filme oder andere Formen von pornografischem Material ruhig ein, um sich selbst und vielleicht auch Ihre Partnerin anzuregen. Ich kenne einen Seminarteilnehmer und seine Partnerin, die sich gerne die erotischen Geschichten im *Playboy* vorlesen. Er meint dazu: »Manchmal bringt uns das eben einfach in Stimmung.« Doch wenn diese Szenarios tatsächlich ins Schlafzimmer übertragen und dort in die Tat umgesetzt werden sollen, sind viele Männer und Frauen oft überrascht, frustriert und enttäuscht, wenn sie nicht funktionieren.

Bedenken Sie, dass es sich in den Pornos um Schauspieler – also echte Profis – handelt, die auf dem Filmset mit Requisiten, Filmschnitt, Synchronisation und spezieller Beleuchtung arbeiten, was zur Schaffung einer irrealen Umgebung beiträgt. Wenn die Fantasievorstellung eines Mannes, der gleichzeitig zwei Frauen liebt, Sie (und vielleicht auch Ihre Partnerin) erregt, könnte es etwas komplizierter werden, wenn ein solches Szenario im wirklichen Leben »getestet« wird. Dabei stehen echte Gefühle auf dem Spiel, und selbst wenn Sie beide in Bezug auf Ihre sexuellen Fantasien noch so tolerant sind, werden Sie sich möglicherweise verletzt fühlen, und die Intimität und das Vertrauen, das zwischen Ihnen und Ihrer Partnerin besteht, könnte für immer verloren gehen. Ich habe einen Fernsehproduzenten gefragt, was seiner Meinung nach das Konzept für einen Porno ist, und er sagte: »Minimale Ideen für die Handlung mit dem Ziel, sich sobald wie möglich der Kleidung zu entledigen und aktiv zu werden. Zielgruppe sind Männer im Alter von 17 bis 37 Jahren.«

Ein weiterer Nachteil, wenn man sich zu stark auf Pornos und die dabei im Mittelpunkt stehenden Fantasien konzentriert, besteht darin, dass sie Männer darauf programmieren, eine bestimmte »Anmache« zu erwarten. Auch diese Erwartung wird in der wirklichen Welt nur selten erfüllt. Wenn Ihre Partnerin nicht in der Lage ist, die Fantasien so durchzuspielen, wie sie in den Filmen oder Zeitschriften dargestellt werden, können Pornos sogar einen Keil zwischen Sie beide treiben. Ein gutes Beispiel dafür ist die Häufigkeit, mit der »Deep Throating«, d.h. das Schlucken von Sperma, oder Analsex in pornografischen Werken vorkommen. Obwohl solche Bilder Sie möglicherweise stimulieren oder erregen, können viele Frauen den Penis des Partners nicht so tief mit dem Mund aufnehmen, schlucken Sperma möglicherweise nicht gerne oder möchten nicht anal penetriert werden. Der Würgereflex macht es fast unmöglich, den Penis tief in den Rachen aufzunehmen. Die Frauen, die solche Szenen in Filmen spielen, sind Profis, die dies tagtäglich vor der Kamera tun und nicht für den Mann, den sie lieben. Aufgrund meiner Seminare und Untersuchungen würde ich sagen, dass nur 20 bis 25 Prozent der Frauen Sperma schlucken, und obwohl viele Frauen analen Sex mindestens einmal ausprobieren, sagen die meisten, dass es zu schmerzhaft und unangenehm ist.

Außerdem kenne ich mehrere Leute, die fingierte Erlebnisberichte für eine Porno-Zeitschrift geschrieben haben. Sie gaben zu, dass die beschriebenen Szenarios reine Erfindung waren. Als ich einen der Herrn fragte, sagte er: »Lou, es hat wahnsinnig viel Spaß gemacht, diese Artikel zu schreiben. Es war eine schöne Zeit!« Als ich ihn fragte, wie viel davon der Wahrheit entsprach, erwiderte er: »Kein einziges Wort!« Derselbe Autor schrieb auch Artikel, in denen er erzählte, wie man Frauen in verschiedenen Ländern verführen und mit ihnen tollen Sex haben kann. Er beschrieb die Clubs, Bars und Salons, wo es in Europa hoch herging, sehr detailliert. Dabei hat dieser Herr die Vereinigten Staaten nie verlassen. Er hatte alles nur erfunden.

Eine weitere Quelle für Falschinformationen über Sex sind so genannte »Freunde«. In den Seminaren sprechen Männer oft über die Tipps, die sie von Kollegen und Freunden bekommen haben. Doch bald wird ihnen bewusst, dass diese Männer nicht mehr wissen als sie selbst – sie tun nur so. Wahrscheinlich haben Sie auch schon die Erfahrung gemacht, dass die

Männer mit der größten Klappe im Allgemeinen die wenigste Ahnung haben. Es sind die Angeber in den Umkleideräumen, die Quantität und Qualität übertreiben. So erinnerte sich ein Mann: »Diesem Typ hörten acht Männer zu, als er damit angab, dass er diese verheiratete Frau sechsmal an einem Nachmittag gebumst habe. Obwohl wir wussten, dass nichts dahinter steckte, standen wir alle um ihn herum, so als könnte etwas von seiner Männlichkeit auf uns abfärben.« Kommt Ihnen das irgendwie bekannt vor?

Ein anderer Mann unterbrach seinen dreiundzwanzigjährigen Neffen, der bei einem Picknick mit der Familie seine erotischen Abenteuer zum Besten gab. Als der Neffe sagte: »Ja, gestern Nacht hab ich sie achtmal gebumst«, meinte der Onkel: »Okay, runter mit der Hose. Das wollen wir sehen! Du müsstest heute so wund sein, dass du nicht einmal pinkeln kannst.« Wie Sie sich vorstellen können, trat der Neffe diesen Beweis nicht an, sondern wechselte schnell das Thema.

Geheimtipp aus Lous Archiv

Frauen wünschen sich Abwechslung, aber keinen Hochleistungssport; sie sind keine Maschinen, die man beliebig an- und ausschalten kann, und sie werden nicht mit einem Handbuch geliefert.

Schließlich ignoriert Pornografie die Hälfte der Bevölkerung. Die Pornoproduzenten wollen ganz einfach nur Geld machen. Bis der Umsatz dadurch negativ beeinflusst wird, dass sie nur auf Männer abzielen, werden diese Verleger und Produzenten genau das herausbringen, was die männlichen Kunden scheinbar wünschen. Warum sollten sie sich um die Frauen kümmern, wenn es keinen Grund dazu gibt? Allerdings gibt es inzwischen auch einige Produzenten, die auch an das weibliche Publikum denken. Eine dieser Firmen ist Femme Productions,

geleitet von Candida Royale, einer der wenigen weiblichen
Porno-Produzenten.

Sex als Leistungssport?

Die indirekte Folge des Pornoproblems ist das falsche Ver-
ständnis von Sex als Leistung. Männer sehen diese straffen,
muskulösen, nie alternden Körper auf der Leinwand oder in
Hochglanzmagazinen und vergleichen sich ganz automatisch
mit ihnen. Obwohl ich weiß, dass sich einige unter Ihnen leicht
mit diesen Männern messen könnten, bin ich mir sicher, dass
selbst die selbstbewusstesten Männer beim Anblick dieser ge-
stählten Körper in Filmen oder Zeitschriften Neid empfinden.
(Die Medien unterziehen Frauen derselben Gehirnwäsche,
wenn sie vorpubertäre Mädchen als Models einsetzen und An-
zeigen retuschieren.) Da ist es kein Wunder, dass Männer Sex
oft mit Leistungsdruck in Verbindung bringen! Die Medien
fordern sie ständig dazu auf, sich mit den tollen Männern in
den Zeitschriften zu vergleichen. Mir ist klar, dass die meisten
Männer ganz gerne mit anderen konkurrieren, aber eine Bran-
che, die diese Eigenschaft ausnutzt, um Zeitschriften oder
Filme zu verkaufen, ist einfach skrupellos. Es ist einfach nicht
in Ordnung, Männer dazu zu bringen, sich und ihre Partnerinnen mit falschen Maßstäben zu messen.

Geheimtipp aus Lous Archiv

Sagen Sie einer Frau immer, was bei Ihnen wirkt, und nicht, was nicht
funktioniert. Betonen Sie das Positive, und sie wird gern zuhören.

Ist eine Frau, die sich Ihnen ganz hingibt und Sex genießt, nicht
genug Anmache für Sie? Nun, dasselbe trifft für Frauen zu.

Frauen wollen keinen Mann, der im Bett eine tolle Vorstellung gibt. Und es ist ihnen nicht wichtig, wie oft Sie in einer Nacht »können«. Es geht vielmehr darum, dass Sie die Zeit mit ihnen genießen.

Wenn Sie völlig präsent sind und sich auf Ihre Partnerin und das, was Sie tun, konzentrieren, fühlt eine Frau sich geliebt und wird auch ihre sexuelle Energie herauslassen. Ein Seminarteilnehmer berichtete: »Am befriedigendsten ist Sex in einer langen, langsamen Liebesnacht.«

Die Sprache der Liebe

Wir alle hören es immer wieder: Männer und Frauen kommunizieren unterschiedlich. John Gray, der Experte in Fragen der Kommunikation der Geschlechter untereinander, geht so weit zu sagen, dass Männer lieben, wenn sie Sex haben, während Frauen Sex haben, wenn sie lieben. Deshalb ist es nicht weiter verwunderlich, dass Männer und Frauen oft feststellen müssen, dass sie nicht dieselbe Sprache sprechen. Haben Sie nicht auch schon einmal das Gefühl gehabt, dass Sie und die Frau in Ihrem Leben ähnliche, aber nicht identische Dialekte sprechen, für die Sie eigentlich einen Übersetzer bräuchten?

Ich möchte Sie hier nicht mit komplizierten soziologischen Studien langweilen. Es genügt auch, festzustellen, dass Jungen und Mädchen unterschiedlich sozialisiert werden. Auf der Grundlage der biologischen Unterschiede und später durch die gesellschaftlichen Geschlechterrollen verstärkt, kommunizieren sie in fast entgegengesetzter Weise. Um erfolgreich kommunizieren zu können – egal, ob es um Sex oder das Abendessen geht –, ist es meiner Meinung nach wichtig für Männer (und Frauen), die zwischen ihnen bestehenden Unterschiede anzuerkennen. Wenn eine Frau beispielsweise das Gefühl hat, nicht verstanden zu werden, wird sie sich emotional und körperlich zurückziehen. Eine Frau sagte: »Ich habe mich in meinen Mann verliebt, als ich feststellte, dass er mir richtig zuhörte. Ich konnte es einfach nicht glauben, als er Tage später wiederholte, was ich gesagt hatte, und offensichtlich verstand, was ich damit sagen wollte – erstaunlich.«

Frauen reagieren am stärksten auf selbstbewusste und selbstsichere Männer, denn dies sind die Männer, die zuhören. Wenn eine Frau mit einer Frage, einem Problem oder einfach mit einer Geschichte aus ihrem Leben auf Sie zukommt, bittet sie damit nicht unbedingt um Rat. Fragen Sie sie von vornherein, ob sie einfach nur einen Zuhörer braucht. Wenn sie beraten werden möchte, hören Sie sich erst an, was sie zu sagen hat, und geben ihr dann einen Rat. Oft braucht sie jedoch einfach nur einen Zuhörer, und es zeigt ihr, dass sie Ihnen wichtig ist, wenn Sie ihr aufmerksam zuhören. Als Mann wollen Sie möglicherweise sofort ihr Problem selbst lösen. Doch sie sucht gar nicht nach einer Lösung und hält Ihre Reaktion wahrscheinlich für herablassend. Wenn Sie sie außerdem ständig unterbrechen, weiß sie, dass Sie nicht richtig zuhören. In diesem Fall kapselt sie sich ab, und die Kommunikation ist gescheitert.

Sie können ihr auf unterschiedliche Weise zeigen, dass Sie ihr zuhören: direkter Augenkontakt, Berührungen oder ein angedeutetes Kopfnicken. Wenn Ihr Blick im ganzen Zimmer umherschweift, schenken Sie ihr nicht genug Aufmerksamkeit, und sie merkt, dass Sie abgelenkt sind. Wenn eine Frau jedoch das Gefühl hat, nicht angehört zu werden, zieht sie sich emotional und körperlich zurück oder sucht sich einen anderen Gesprächspartner. Dies ist keine Drohung, sondern einfach eine Tatsache. Für Frauen ist es äußerst wichtig, angehört und ernst genommen zu werden, und eine der häufigsten Klagen von Frauen lautet, dass ihr Partner ihnen nicht zuhört.

Im sexuellen Bereich haben einige geschlechtliche Unterschiede auch in der Kommunikation konkrete Auswirkungen. Einerseits wollen Frauen, dass Männer wissen, was ihnen im Bett gefällt. Andererseits zögern sie oft, Männern dieses direkt zu sagen. Obwohl Frauen oft untereinander sexuelle Informationen austauschen, scheuen viele davor zurück, mit Männern über Sex zu reden.

Durch meine Arbeit in den Seminaren konnte ich die vier Hauptgründe herausfinden, warum wir Frauen zögern, ihrem Partner ihre sexuellen Wünsche und Bedürfnisse mitzuteilen.

1. Wenn wir sagen, was wir uns wünschen, werden wir entweder als sexwütig oder als Moralapostel verurteilt.
2. Wir wissen nicht, wie wir es sagen sollen. Eine Grafikerin aus Miami meinte: »Ich würde es ihm gerne sagen, wenn ich nur wüsste, wie. Ich kenne das Gefühl, aber es ist so schwierig zu beschreiben, was genau er bei mir bewirkt.«
3. Wir sorgen uns, dass Männer unsere Äußerungen als Kritik an ihren sexuellen Fähigkeiten verstehen könnten.
4. Wir befürchten, dass Männer nicht richtig zuhören. Eine Frau meinte: »Selbst wenn ich ihm sage, was ich mag, hört er nicht zu. Er macht einfach weiter wie gewohnt.«

Die Gründe, warum Frauen Männern nicht sagen, was sie sich wünschen oder wie der Partner vorgehen sollte, steht im Zusammenhang mit einem alten Klischee, das noch immer Macht auf die weibliche Psyche ausübt. Die meisten Frauen, speziell jene, die keinen Partner haben, möchten als »brave Mädchen« gelten und auf keinen Fall als sexwütig in Verruf geraten. Sie haben Angst, dass ein Mann, dem sie sagen, wie sie es mögen, dies als Hinweis auf eine Technik sehen, die mit »einem anderen Mann« funktioniert hat. Dadurch könnte sich der Partner, so fürchten sie, abgestoßen fühlen oder wütend sein.

Sagen Sie Ihrer Partnerin, dass Sie gern ihre Vorlieben und Abneigungen kennen *möchten*. Sie sollten sie ermutigen, Ihnen frei heraus zu sagen oder am besten auch zu zeigen, wie sie berührt, geküsst und liebkost werden möchte. Durch eine offene und unverkrampfte Kommunikation schaffen Sie sofort eine Bindung zu Ihrer Partnerin.

Und, meine Herren, bitte achten Sie darauf, *wie* Sie über Erotik und Sex sprechen. Wenn Sie und Ihre Partnerin keine Scheu dabei empfinden, das Wort »Muschi« auszusprechen, sollten Sie es unbedingt verwenden. Doch Sie sollten auch wissen, dass es eine Frau regelrecht »abtörnt«, wenn sie sich durch Ihre Begriffe für die Beschreibungen *ihrer* Anatomie gekränkt oder peinlich berührt fühlt. Ich schlage daher vor, dass Sie mit den politisch korrekten Begriffen (wie Penis und Vagina) beginnen und dann weitersehen. Sie könnten sie fragen, welche Bezeichnungen ihr für ihre Körperteile in normalen Gesprächen und bei leidenschaftlichen Begegnungen am liebsten sind. Lassen Sie Ihre Partnerin das Maß der Offenheit bestimmen. Vielleicht wird es ihr sogar gefallen und sie erregen, wenn Sie beim Sex »schmutzige« Wörter verwenden.

Wenn Sie schon lange mit Ihrer Partnerin zusammen sind, können Sie wahrscheinlich schon ahnen, was sie sich wünscht, oder dies gemeinsam mit ihr herausfinden, aber wenn Sie sich fragen, wie Sie Ihre Partnerin ganz sicher befriedigen können, müssen Sie mit ihr kommunizieren. Daran geht einfach kein Weg vorbei.

Ein Seminarteilnehmer meinte dazu: »Wenn man mit einer Frau zusammen ist, muss man ganz genau aufpassen. Man darf nicht an die eigene schnelle Befriedigung denken, sondern muss sich stattdessen ganz auf sie einstellen. Die Anweisungen für die Dinge, die sie sich wünscht, sind vorhanden – Sie müssen nur genau darauf achten, auf was und wie sie reagiert. Eine Frau ist wie ein Seismograf, und Sie müssen Ihre Sensoren auf

Empfang stellen.« Ich habe die typischen Unterschiede zwischen Männern und Frauen für Sie zusammengestellt, die Sie kennen sollten, wenn Sie ein perfekter Liebhaber werden wollen. Natürlich sind es Verallgemeinerungen, die nicht für alle Männer und Frauen gelten, aber sie sind trotzdem sehr hilfreich:

• Frauen verlieben sich mit dem Kopf, Männer mit den Augen.
• Männer genießen es oft, schnell zur Sache zu kommen, während Frauen das Ganze lieber langsam angehen.
• Männer sind zielorientiert und streben am liebsten direkt auf den Orgasmus zu. Frauen lieben den Weg dorthin, der ruhig verschlungen sein darf, und nehmen sich gerne Zeit.
• Männer lieben es, einen feuchten, glitschigen Zungenkuss ins Ohr zu bekommen, doch die meisten Frauen verabscheuen dies. Eine Frau meinte: »Ich habe das Gefühl, dass sich mein Kopf in der Waschmaschine befindet.«
• Frauen reagieren auf sanfte, leichte Berührungen, Männer dagegen auf stärkeren Druck.
• Frauen wissen meistens, wann sie Sex haben werden, während Männer sich überraschen lassen können. Ob sie Sex wollen oder nicht, hängt bei vielen Frauen davon ab, wie sie vorher von ihrem Partner behandelt wurden. Und meistens ist das Zünglein an der Waage etwas, dessen Sie sich als Mann gar nicht bewusst sind. Deshalb möchte ich Ihnen in diesem Buch verraten, worauf es Frauen ankommt.
• Männer sind im Allgemeinen Augenmenschen, die schon durch den Anblick eines nackten Busens erregt werden. Frauen sind eher auf das Gehör und den Tastsinn ausgerichtet. Sie müssen einen Mann hören und fühlen, um erregt zu werden.

Voller Einsatz ist gefragt

Wie bei jedem anderen Vorhaben werden Sie und Ihre Partnerinnen beim Sex umso mehr gewinnen, je mehr Sie dabei einbringen. Männer, die von sich sagen, ein erfülltes und leidenschaftliches Liebesleben zu haben, gehen Sex mit derselben
Entschlossenheit und Begeisterung an, die sie auch bei anderen
Zielen wie ihrer beruflichen Karriere, ihren künstlerischen In-
teressen, humanitären Aufgaben oder bei sportlichen Leistun-
gen einsetzen. Der Faktor, der bei all diesen Dingen eine Rolle
spielt, ist die Konzentration auf das Ziel. Die Führungskraft
einer Erdölfirma aus Arizona meinte: »Wenn mein Sexualleben
und mein Privatleben in Ordnung sind, fühle ich mich auch im
Geschäft unbesiegbar. Zwischen dem Glück zu Hause und
dem Erfolg in meinem Beruf besteht eine direkte Beziehung.«
Ich habe von Männern immer wieder gehört, dass sie selbstbe-
wusster und auch in anderen Lebensbereichen energiegela-
dener sind, wenn sie ihre Partnerin sexuell befriedigen und
glücklich machen können.

So wie Sie das Golfspiel am Samstag planen, sollten Sie auch
das Liebesspiel planen. Bemühen Sie sich zu Beginn einer Beziehung nicht ganz besonders darum, Ihre Partnerin zu verführen? Das sollten Sie auch dann noch tun, wenn Sie schon
längere Zeit zusammen sind. Unabhängig von Ihrem Alter und
der Dauer Ihrer Beziehung müssen Sie vorausdenken und sich
der Intimität verpflichten. Genau wie bei Ihrem Golfspiel sind
für Ihre sexuelle Beziehung Übung und Einsatz erforderlich.
Ich wette, dass Sie für Ihre finanziellen Investitionen einen langfristigen Plan haben. Die Art und Weise, wie Sie sich jetzt um
Ihre Geldanlagen kümmern, wirkt sich auf die Leistung Ihres
Gelds in der Zukunft aus. Dasselbe trifft auf Ihre Beziehung
zu: Was Sie jetzt in Ihre sexuelle Beziehung investieren, zahlt

sich in der Zukunft aus. Sie sollten also auch für Ihre Beziehung eine langfristige Perspektive haben. Glauben Sie mir – es macht sich bezahlt.

Wenn Sie noch nie in Worte gefasst haben, wie verbunden Sie sich beim Sex mit Ihrer Partnerin fühlen, dann sagen Sie es ihr bei der nächsten Gelegenheit. Gehen Sie nicht einfach davon aus, dass sie genau weiß, wie Sie den Sex, die Intimität und die Verbundenheit mit ihr empfinden. So sagte ein Seminarteilnehmer: »Ich habe einfach angenommen, dass meine Frau weiß, wie sehr sie mich erregt. Doch eines Abends machte sie ihrer Frustrationen Luft, nachdem wir Sex gehabt hatten, und sagte, sie habe das Gefühl, dass ich sie nur flachlegen wolle und sie nicht wirklich liebe. Nichts ist weiter von der Wahrheit entfernt, aber ich dachte einfach, dass sie die Tiefe meiner Gefühle kannte. Mit dieser Annahme habe ich ganz schön falsch gelegen.«

Die Liebeskunst besteht zu 20 Prozent aus Technik und zu 80 Prozent aus Offenheit, Respekt, Begeisterung und Kommunikation.

Das Ziel dieses Buches besteht darin, dass Sie Zugang zu Ihrer sexuellen Seele und der Ihrer Partnerin finden. Es will Ihnen die nötigen Ideen, Einstellungen und Informationen vermitteln, damit Sie als perfekter Liebhaber eine wunderbare, spielerische und für beide Partner erfüllende sexuelle Beziehung mit der Frau schaffen können, die Sie lieben.

2. Kapitel

Sichere Sinnlichkeit: So schützen Sie sich und Ihre Partnerin

Wissen ist Macht

Safer Sex ist nicht mit langweiligem Sex gleichzusetzen. Ganz im Gegenteil – ich betrachte ihn als Herausforderung an die Kreativität. Dabei geht es nicht nur darum, das Wohlergehen und den Schutz der Partnerin zu gewährleisten, sondern auch die eigene Gesundheit. Wenn Sie das Thema Sicherheit ansprechen, sagen Sie im Grunde: »Du bist mir wichtig; unsere Beziehung ist mir wichtig.« Das Gefühl, geschützt zu werden, sich wohl und umsorgt zu fühlen, ist eine wichtige Grundlage für tollen Sex.

Mir ist klar, dass diese Informationen hauptsächlich für Menschen wichtig sind, die Single sind und/oder einen neuen Partner haben. Doch bevor Sie als verheiratete Leser oder Leser in lang bestehenden Partnerschaften dieses Kapitel überblättern, möchte ich Sie daran erinnern, dass wir – bei der derzeitigen Scheidungsrate – alle vorsichtig und gewarnt sein sollten, denn selbst die Verheirateten unter uns haben oft mehrere monogame Beziehungen hintereinander. Für diejenigen, die Kinder haben, ist gesundheitliche Aufklärung genauso interessant.

Natürlich wollen Sie Ihren Kindern keine Angst einjagen, aber Sie wollen sie aufs Leben vorbereiten, und sexuell übertragbare Krankheiten und Sex sind eben leider Teil des Lebens. Das Durchschnittsalter der neu mit HIV Infizierten ist in den letzten Jahren erschreckend gesunken.

Die Informationen, die ich in diesem Kapitel zusammengestellt habe, sind die aktuellsten und neuesten in Bezug auf Vorsichtsmaßnahmen und Risikofaktoren beim Sex. Es ist wichtig zu wissen, welche Krankheiten es gibt, wie verbreitet sie sind und was Sie beachten sollten, um eine Ansteckung zu vermeiden. Beschäftigen wir uns also zuerst ein paar möglicherweise lebensrettende Minuten mit dem Thema Sicherheit – auch wenn das etwas unerotisch klingt. Später zeige ich Ihnen, dass Schutz und Verantwortung absolut sexy sind.

Vielleicht überrascht es Sie zu hören, dass Sie als Mann normalerweise ein geringeres Risiko haben, sich eine sexuell übertragbare Krankheit zuzuziehen, als Ihre Partnerin. Warum sind Frauen einem größeren Risiko ausgesetzt? Dies hat zum einen einen anatomischen Grund: Frauen haben in der Scheide mehr Schleimhaut als Männer in der Harnröhre im Penis. Zum anderen sind Frauen beim Sex üblicherweise der empfangende Partner und die »fremden« männlichen Körperflüssigkeiten bleiben in ihrem *Innern*, sodass sie sich leichter eine Infektion zuziehen können. Das stark von Gefäßen durchzogene Schleimhautgewebe der Vulva und des Scheideninneren (bei Männern befindet sich dieses Gewebe in der Harnröhre), wird beim Sex leicht verletzt, sodass Krankheitserreger ungehindert eindringen können. Da Frauen also einem größeren Risiko ausgesetzt sind, ist es nur logisch, dass Männer entsprechend mehr Verantwortung übernehmen müssen, um die Sicherheit für beide Partner zu gewährleisten. Ich kenne einen Mann, der zu Beginn einer Beziehung schwer damit zu kämpfen hatte, seiner neuen Partnerin von seiner Herpesinfektion zu erzählen. Obwohl sie auf diese

Mitteilung nicht gerade begeistert reagierte, wusste sie es zu schätzen, dass er so ehrlich und verantwortungsbewusst war. Er achtete auf absolute Körperhygiene und auf sich ankündigende Ausbrüche der Viruserkrankung. Er bestand auch darauf, Kondome zu verwenden, selbst wenn die Infektion inaktiv war. Bei aktiven Ausbrüchen verzichtete er lieber ganz auf den Geschlechtsverkehr. Zusätzlich unterzog er sich einer unterdrückenden Antivirus-Therapie, um asymptomatische Schuppungen zu vermeiden. Die beiden sind nun seit sechs Jahren ein Paar, und sie hatte noch nie einen Herpesausbruch.

Viele Menschen leiden an einer Infektionskrankheit ohne es zu wissen. Gehen Sie deshalb auf jeden Fall auf Nummer Sicher. Durch meine Seminare und andere Untersuchungen bin ich zu dem Schluss gekommen, dass viele Männer meinen, Safer Sex zu praktizieren, wenn sie (oder die Partnerin) Mittel zur Empfängnisverhütung benutzen. Doch bei Safer Sex geht es nicht nur um das Verhindern einer unerwünschten Schwangerschaft. Sie sollten immer daran denken, dass Sie sich trotz der Verwendung von Verhütungsmitteln eine sexuell übertragbare Krankheit zuziehen können. Bei Männern wie Frauen muss es nicht unbedingt zu Krankheitssymptomen kommen. Das heißt, selbst wenn Sie keine körperlichen Anzeichen einer sexuell übertragbaren Krankheit haben, kann es zu langfristigen Schäden kommen, und Sie könnten Infektionen ohne es zu wissen an andere weitergeben. Dies trifft besonders auf Chlamydien, den humanen Papilloma-Virus (HPV) und Herpes zu (im Folgenden finden Sie noch spezifischere Informationen zu diesen und anderen Krankheiten). Wenn Sie sich also gesund fühlen und an Ihrem Penis nichts Ungewöhnliches feststellen können, bedeutet dies nicht, dass Sie nicht doch unter einer gefährlichen sexuell übertragbaren Krankheit leiden. Mit zunehmendem Alter ist außerdem die Gefahr größer, dass Sie mit einer Partnerin mit sexueller Vorgeschichte zusammen sind, und es kommt durchaus vor, dass Menschen die Details ihrer sexuellen Vergangenheit gerne »vergessen«. Daher bitte ich Sie, vorsichtig zu sein und die entsprechenden Schutzmaßnahmen zu ergreifen.

Geheimtipp aus Lous Archiv

Es gibt keine absolut »sichere« Zeit für den Geschlechtsverkehr, was die Empfängnisverhütung betrifft. Mutter Natur ist in dieser Hinsicht nicht dumm. Wenn eine Frau sexuell stark erregt ist, kann es auch außerhalb des Zyklus zum Eisprung kommen.

So berichtete ein neunundvierzigjähriger Pfarrer: »Wir verhüten nach der Knaus-Ogino-Methode, und nach unserer dritten nicht beabsichtigten Schwangerschaft dachten meine Frau und ich, wir könnten nicht zählen.« Obwohl es heute so viele verschiedene Verhütungsmethoden gibt, sind unerwünschte Schwangerschaften immer noch an der Tagesordnung. Dies zeigt, dass wir uns trotz all der verfügbaren Informationen und Produkte noch immer unverantwortlich verhalten. Gibt es dafür eine Entschuldigung?

Oft wird »Safer Sex« nur mit HIV und AIDS in Zusammenhang gebracht. Fraglos verdient AIDS (Acquired Immune Deficiency Syndrome) all die Aufmerksamkeit, die dieser Krankheit zukommt. Diese Krankheit ist tödlich und beraubt die Betroffenen ihrer Hoffnung, Würde und Lebensqualität. Glücklicherweise werden in der Medizin ständig Fortschritte gemacht, die HIV-Patienten ermöglichen, länger und beschwerdefreier zu leben. Doch da es noch keine Heilungschancen gibt, ist wirkungsvoller Schutz die einzige Waffe gegen die Immunschwäche.

Selbst wenn Sie keiner Risikogruppe für HIV oder AIDS angehören, könnten Sie sich dennoch eine Infektion zuziehen. Ich befragte Dr. Eric Daar, einen Spezialisten für Immunstörungen und AIDS am Cedars-Sinai-Krankenhaus in Los Angeles, zu Männern, die durch Frauen mit AIDS infiziert wurden, und er sagte: »Ich behandle zurzeit einen jungen Mann, dessen einziger Risikofaktor ungeschützter Sex mit einer Frau war.« Und die Frau, mit der sein Patient geschlafen hatte, war keine Prostituierte. Dr. Daar berichtete mir auch von den Tausenden von Frauen in Afrika und Asien, wo HIV-Infektionen und AIDS hauptsächlich bei der heterosexuellen Bevölkerung vorkommen, die Männer unwissentlich beim Sex infizieren.

Die wichtigsten Fakten
über sexuell übertragbare Krankheiten

Die Zahl von Männern und Frauen, die eine sexuell übertragbare Krankheit haben oder hatten, ist erschreckend hoch und es gibt eine hohe Dunkelziffer.

Wie ich bereits erwähnt habe, gibt es bei vielen sexuell übertragbaren Krankheiten keine offensichtlichen Symptome. Bei Frauen wird eine Infektion oft erst dann festgestellt, wenn sie vergeblich versucht, ein Kind zu bekommen, doch dann ist der Schaden bereits angerichtet: Eine latente sexuell übertragbare Krankheit hat sie möglicherweise der Fähigkeit beraubt, ein Kind zu empfangen. In einigen Fällen ist eine medizinische Behandlung möglich, und die Betroffene kann beispielsweise durch Fortpflanzungstechnologien wie die In-vitro-Methode schwanger werden.

Auch Männer können eine Infektion ohne Symptome haben und sie an die Partnerin weitergeben. Aus diesem Grund sollten sie sich ebenfalls testen lassen. Wenn Sie Sex mit jemandem haben, der Träger einer sexuell übertragbaren Krankheit ist, können Sie sich anstecken. Alter, ethnische Herkunft oder so-

zioökonomischer Status schützen Sie nicht. Sie sind für Ihren
Schutz selbst verantwortlich, und daher sollten Sie sich informieren, aufmerksam und vorsichtig sein und sich die Zeit nehmen, um die Sicherheit für Sie beide zu gewährleisten.

Geheimtipp aus Lous Archiv

Ursache Nummer eins für die männliche Sterilität ist eine latente
Chlamydia-Infektion. Es gibt jedoch dazu keine offiziellen Zahlen.

Das Übertragungsrisiko

Sexuell übertragbare Krankheiten können durch vaginalen,
oralen und analen Sex weitergegeben werden. Einige können
sogar schon durch den Kontakt des Penis mit der Vulva, dem
Mund und/oder dem After übertragen werden. Sexuell übertragbare Krankheiten können von Mann zu Frau, Frau zu
Mann, Mann zu Mann sowie Frau zu Frau übertragen werden. Manche gehen sogar bei der Geburt von der Mutter auf
das Kind über oder werden durch die Muttermilch übertragen.
Und wahrscheinlich wissen Sie bereits, dass Sie sich durch die
gemeinsame Benutzung von Injektionsnadeln mit HIV infizieren können.

Es gibt nur eine Möglichkeit, hundertprozentig sicher zu gehen, dass man sich keine dieser Krankheiten zuzieht: sexuelle
Abstinenz. Doch für die meisten Menschen scheint dies wohl
eine recht unrealistische Forderung. Fast genauso sicher wie
die Enthaltsamkeit ist der alleinige Einsatz der Hände beim
Liebesspiel. Vielleicht wissen Sie gar nicht, welchen Spaß Ihre
(oder ihre) Hände bereiten können, und Sie sollten dieses Ter-
ritorium weiter erkunden. Achten Sie dabei darauf, dass Ihre
Hände keine offenen Wunden, Schrammen oder Hautrisse ha-

ben. Herpes und HPV können nämlich von den Genitalien auf die Hände übertragen werden. Wenn Sie oder Ihre Partnerin einen dieser Viren haben, können Sie sich durch die Verwendung von Latex-Handschuhen schützen.

Auch beim Kontakt zwischen den Genitalien ohne Geschlechtsverkehr, können Krankheiten wie Herpes und Syphilis übertragen werden. Dasselbe trifft auf das Vorspiel zu, wobei *jeglicher* Genitalkontakt ohne Kondom ein Problem sein kann. Doch manchmal ist Herpes nicht auf die Genitalien beschränkt und kann sich am Ende eines Nervenganglions am Oberschenkel oder Gesäß manifestieren. In der heutigen Zeit ist es wirklich nicht ratsam, eine Bekanntschaft aus dem Flugzeug zu ein paar Drinks einzuladen und dann im Hotel mit ihr in leidenschaftlicher Umarmung ins Bett zu fallen. Wenn Sie gerade jemanden kennen gelernt haben, von der Lust übermannt werden und das Unausweichliche nicht aufhalten wollen, sollten Sie sich einen Augenblick Zeit nehmen und über Safer Sex reden.

Verantwortungsbewusste Liebende sprechen vorher über Sex und benutzen ein Kondom. Bis Sie negative Testergebnisse für *alle* sexuell übertragbaren Krankheiten erhalten und die entsprechende Inkubationszeit abgewartet haben, um als ganz gesund zu gelten, sollten Sie *jedes Mal* ein Kondom benutzen, wenn Sie vaginalen, oralen oder analen Sex haben. Sie wissen sicherlich, dass es Kondome überall in allen Größen, Ausführungen, Farben und Strukturen zu kaufen gibt (am Ende dieses Kapitels finden Sie noch genauere Informationen).

Den sexuell besonders aktiven Männern unter Ihnen möchte ich noch sagen (auch auf die Gefahr hin, dass Sie dies nicht hören wollen oder ich mich wie Ihre Mutter anhöre), dass Sie das Risiko einer Infektion entscheidend reduzieren können, indem Sie die Zahl Ihrer Sexualpartner einschränken. Die Tatsachen sind ganz klar: Sie werden sich eher eine sexuell übertragbare Krankheit zuziehen, wenn Sie gleichzeitig mehr als eine Partnerin haben oder Sie beide vorher viele Partner hatten. Aus diesem Grund sollte die Bedeutung von Vertrauen in einer Beziehung nie unterschätzt werden. Oft wird die Tatsache einfach beiseite geschoben, dass bereits ein kleiner »Ausrutscher« ernste gesundheitliche Nebenwirkungen haben kann. Sie haben die Wahl, aber ich rate Ihnen, lieber auf Nummer Sicher zu gehen. Ist es eine kurze Nacht der Leidenschaft wirklich wert, ein Leben lang jeden Monat den Ausbruch von Herpesbläschen am Penis – oder Schlimmeres – zu riskieren?

Die Krankheiten*

Nachfolgend finden Sie eine Beschreibung der häufigen sexuell übertragbaren Krankheiten mit ihren Symptomen, potenziellen Gefahren sowie Behandlungs- und/oder Heilungsmöglichkeiten. Dieser Überblick soll Ihnen zur allgemeinen Information dienen. Es ist jedoch nicht ratsam, selbst Diagnosen zu stellen, wenn es um Ihre Gesundheit geht. Mehrere der aufgeführten Symptome können auch durch andere Faktoren verursacht werden, und umgekehrt können viele dieser Krankheiten lange Zeit bestehen, ohne dass irgendwelche Symptome auftreten.

Wenn Ihr Arzt Ihren Verdacht bestätigt, befolgen Sie seine Anweisungen und unterrichten Sie sofort Ihre Partnerin oder Ihre Partnerinnen. Zweifellos ist das nicht einfach. Aber Ihre Partnerin muss es auf jeden Fall wissen, damit sie sich ebenfalls behandeln lassen kann und Sie nicht wieder ansteckt.

---

* Die Zahlen für Infizierungen stammen von der Bundeszentrale für gesundheitliche Aufklärung. Dort erhält man auch weiterführende Informationen und Tipps (im Internet unter www.bzga.de).

Chlamydien

Chlamydien werden durch eine Bakterienart verursacht, die gleichzeitig ein Parasit ist und andere Zellen braucht, um zu überleben. Chlamydien werden oft als die »stille Krankheit« bezeichnet, weil normalerweise erst im fortgeschrittenen Stadium Symptome auftreten. Die Symptome umfassen beim Mann ein brennendes Gefühl beim Urinieren aufgrund einer Harnröhreninfektion sowie eine Epididymitis, eine Entzündung und ein Anschwellen der Nebenhoden. Ende der achtziger Jahre waren Chlamydien die häufigste bakterielle Geschlechtskrankheit in Nordamerika und Europa. 40 Prozent der nicht durch Gonokokken verursachten Harnröhrenentzündung bei Männern wird durch *Chlamydia trachomatis* verursacht.

Geheimtipp aus Lous Archiv

Eine Nebenhodenentzündung als Folge einer Chlamydia-Infektion kann beim Mann zur Unfruchtbarkeit führen.

Chlamydien werden durch oralen Sex und Geschlechtsverkehr übertragen. Bei Frauen kann die Krankheit eine Bakterieninfektion im Innern der Eileiter verursachen, die chronische Schmerzen, Eileiterschwangerschaften und/oder Unfruchtbarkeit zur Folge haben kann. Bei oraler Übertragung verursacht die Krankheit eine Infektion der oberen Atemwege. Chlamydien können bei der Geburt von der Mutter auf das Kind übertragen werden und bei Neugeborenen Augen- und Lungeninfektionen auslösen. Die Krankheit lässt sich leicht mit Antibiotika behandeln, doch zu ihrer Diagnose müssen erst spezielle Tests durchgeführt werden.

Geheimtipp aus Lous Archiv

Obwohl sich Chlamydien und Gonorrhö bei Frauen nicht genauso wie bei Männern manifestieren, sind die Folgen oft ähnlich.

Gonorrhö

Gonorrhö, umgangssprachlich auch als »Tripper« bezeichnet, wird oft mit einer längst vergangenen Zeit in Verbindung gebracht. Dennoch ist die Krankheit auch heute noch relativ weit verbreitet. In Deutschland gibt es bei Männern und Frauen ca. 5000 Neuinfektionen pro Jahr. Ähnlich wie bei Chlamydien handelt es sich um eine Bakterieninfektion, die völlig symptomfrei sein kann. Bei Frauen wird sie oft erst entdeckt, wenn es bereits zu permanenten Schädigungen wie Sterilität und chronischen Schmerzen gekommen ist. Bei Männern äußert sich Gonorrhö durch einen gelben, eiterartigen Ausfluss aus dem Penis, Schmerzen beim Urinieren, häufigen Harndrang und Schmerzen im Unterbauch. Diese sexuell übertragbare Krankheit ist extrem ansteckend und kann durch jeglichen Kontakt mit Penis, Scheide, Mund oder After übertragen werden, auch wenn es nicht zur Penetration kommt.

Geheimtipp aus Lous Archiv

Eine Nebenhodenentzündung bei sexuell aktiven Männern unter fünfunddreißig wird meistens durch *Chlamydia trachomatis* und *Neisseria gonorrhoeae* verursacht.
Eine frühzeitig entdeckte Gonorrhö ist mit Antibiotika leicht zu heilen.

Syphilis

Die Syphilis ist eine sehr gefährliche Bakterieninfektion. Die Zahl der Neuinfektionen liegt in Deutschland jährlich bei 5000 bis 10 000 für Männer und Frauen. Wird eine Syphilis nicht behandelt, kann die Krankheit tödlich verlaufen oder irreparable Schäden an Herz, Gehirn, Augen und Gelenken verursachen. Vierzig Prozent aller Babys von Müttern mit Syphilis sterben bei der Geburt oder werden mit Missbildungen geboren. Die Symptome sind nicht schmerzende Geschwüre, ein Ausschlag an den Handflächen und Füßen und geschwollene Lymphknoten. Diese Krankheit ist bei oralem, vaginalem und analem Sex hochgradig ansteckend, wird aber auch über offene Wunden der Haut übertragen. Bei frühzeitiger Diagnose ist die Syphilis mit hohen Dosen Antibiotika heilbar. Diese Krankheit ist bei heterosexuellen Männern in bestimmten Teilen der USA häufig, während sie in anderen sehr selten ist.

Herpes

Was am genitalen Herpes besonders erschreckt, ist seine weite Verbreitung, wobei sich viele Betroffene ihrer Infektion gar nicht bewusst sind.

Es gibt zwei Arten von Herpesviren: den Herpes simplex 1, der am Mund, und Herpes simplex 2, der an den Genitalien auftritt. Herpes simplex 1 wird normalerweise als Fieber- oder Reizbläschen bezeichnet und tritt an den Lippen, im Mundbereich oder im Mund auf. Die sichtbaren Symptome von Herpes simplex 2 sind juckende Beulen oder winzige Bläschen im Genitalbereich, meistens am Penisschaft, am Ende der Vorhaut oder nahe der Penisspitze. Bei Frauen kommt es in der Nähe der Scheide oder im Scheideninnern, an den Schamlippen oder am After zu juckenden Ausschlägen. Auch bei Männern kann es zu einem Herpesausbruch in Afternähe kommen, selbst wenn sie nie analen Verkehr hatten. Manchmal treten die Herpesbläschen zuerst in Bereichen auf, die durch Nervenenden mit den Genitalien verbunden sind, aber nicht an den Genitalien selbst. In diesem Fall sind Gesäß und Oberschenkel befallen.

Geheimtipp aus Lous Archiv

Wenn Sie oder Ihre Partnerin ein Fieberbläschen haben, sollten Sie oralen Sex vermeiden, da Herpes simplex 1 genital übertragen werden kann.

Es ist ein weit verbreiteter Mythos, dass Herpesbläschen immer starke Schmerzen verursachen. Normalerweise ist es lediglich der auf ein Herpesbläschen ausgeübte Druck, der wehtut. Man kann sich Herpes an jedem Hautbereich oder Schleimhautbereich zuziehen, je nachdem welcher Bereich mit einem Herpesbläschen in Berührung gekommen ist. Der erste Ausbruch von genitalem Herpes dauert meistens zwölf bis vierzehn Tage, während nachfolgende Ausbrüche kürzer sind (sie dauern in der Regel nur vier bis fünf Tage) und milder verlaufen. Doch heute leiden die meisten Menschen, die sich mit Herpes infizieren, nicht unter dieser starken ersten Episode, sondern haben von Anfang an eine leichte oder asymptomatische Infektion.

Herpes ist sehr ansteckend, wenn es während eines Ausbruchs zu körperlichem Kontakt kommt, aber es kann auch zur Ansteckung kommen, wenn der Virus latent zu sein scheint. Dies liegt daran, dass er bei den meisten mit Herpes infizierten Menschen ohne Symptome reaktiviert werden kann.

Es ist daher wichtig, jede lokale Veränderung oder Entzündung der Haut, Bläschen oder wunde Bereiche untersuchen zu lassen, so lange sie noch sichtbar sind. Wenn Sie meinen, dass Sie sich eine Herpesinfektion zugezogen haben könnten, gibt es nur einen Test – einen Bluttest –, durch den eine verlässliche Diagnose auch ohne sichtbare Symptome gestellt werden kann. Viele Ärzte neigen dazu, Tests mit Viruskulturen durchzuführen, indem sie bei einem Bläschen, das sich in einem sehr frühen Zustand befindet, einen Abstrich vornehmen.

Mir ist klar, dass es sehr unangenehm und schwierig ist, die Partnerin über eine Infektion zu informieren, vor allem bei einer ganz neuen Beziehung. Ein Mathematikprofessor aus Los Angeles berichtete: »Ich hatte diese wirklich tolle Frau kennen gelernt und hatte Angst, ihr zu sagen, dass ich Herpes habe. Ich erinnere mich daran, wie wir zusammen im Bett lagen – wir hatten noch nichts gemacht –, und ich wusste, dass ich es ihr sagen musste. Ich befürchtete, dass sie die Beziehung nicht würde fortsetzen wollen, wenn sie es erfahren würde. Als ich dann mit der Sprache herausrückte, war sie über diese Nachricht nicht gerade sehr erfreut. In dieser Nacht hatten wir keinen Sex. Einen Tag später kam sie zu mir zurück und sagte, dass sie unsere Beziehung fortsetzen wolle, und zwar wegen der aufrichtigen Art und Weise, wie ich ihr von meiner Infektion erzählt habe. Ich war wahnsinnig froh.«

Für diesen Virus gibt es keine Heilung, obwohl sich oral eingenommene Medkamente als sehr erfolgreich bei der Minimierung der Symptome bei akuten Ausbrüchen und bei der Unterdrückung zukünftiger Ausbrüche erwiesen haben. Außerdem reduzieren diese Mittel die Rate asymptomatischer Schuppungen, und zurzeit werden Untersuchungen angestellt, um festzustellen, ob damit auch das Übertragungsrisiko reduziert wird.

Wodurch genau ein erneuter Ausbruch ausgelöst wird, konnte noch nicht eindeutig festgestellt werden. Studien deuten jedoch darauf hin, dass ein starker Zusammenhang zwischen Herpesausbrüchen, Sonneneinstrahlung und Stress besteht. Doch Herpes an sich kann ebenfalls stressig sein – sowohl körperlich (der Betroffene kann unter Müdigkeit leiden) als auch emotional. Eine Seminarteilnehmerin berichtete: »Als ich herausfand, dass ich Herpes hatte, fühlte ich mich wie eine Leprakranke. Ich war furchtbar wütend auf den Typ, der mich angesteckt hatte, und habe seitdem keine sexuellen Beziehungen mehr gehabt. Ich wünsche es keinem, dieselbe Hölle durchzumachen.« Doch andere nehmen ihre Diagnose leichter: »Nachdem wir unsere AIDS-Tests hatten machen lassen und wussten, dass wir miteinander schlafen würden, sagte sie mir, dass sie Herpes habe. Ich war mir ziemlich sicher, dass wir in Bezug auf HIV in Ordnung waren, aber diese Nachricht kam irgendwie überraschend für mich. Ich muss zugeben, dass ich mir das Ganze zweimal überlegte, aber sie ist immer sehr, sehr vorsichtig und wir verwenden jedes Mal Kondome.«

Obwohl die Symptome für die Betroffenen unangenehm sein können, liegt die echte Gefahr dieser sexuell übertragbaren Krankheit in der Bedrohung des ungeborenen Kindes oder von Menschen mit Immunschwächekrankheiten wie HIV oder AIDS. Herpes wird meistens bei der Entbindung übertragen und kann beim Neugeborenen schmerzhafte Bläschen und Schäden an den Augen, am Gehirn und an den inneren Organen verursachen. Eins von sechs Kindern, das mit Herpes geboren wird, überlebt nicht.

Wenn bekannt ist, dass die Mutter unter genitaler Herpes leidet, kann Schäden beim Kind durch einen Kaiserschnitt vorgebeugt werden. Tatsächlich ist das Risiko heute so gering, dass bei Frauen mit wiederkehrender Herpes nur dann ein Kaiserschnitt vorgenommen wird, wenn sie aktive Symptome hat. Es ist jedoch bedeutsam, dass der Herpes beim Neugeborenen durch den Mann verursacht wird. Frauen, die sich in den letzten Wochen der Schwangerschaft anstecken und ihren ersten Herpesausbruch haben, laufen am meisten Gefahr, ein krankes Baby zu bekommen. Wenn Sie und Ihre Partnerin also ein Kind zeugen wollen und Sie unter Herpes leiden, aber Ihre Partnerin nicht, ist es ungeheuer wichtig, dass Sie während der Schwangerschaft die richtigen Safer Sex-Praktiken einsetzen und eine unterdrückende Anti-Virus-Behandlung in Betracht ziehen.

HPV

Beim humanen Papilloma-Virus (HPV) handelt es sich um eine Virenfamilie, die aus über achtzig verschiedenen Arten besteht. Bestimmte Formen verursachen sichtbare Genitalwarzen, während andere Infektionsarten keinerlei äußerlich sichtbare Anzeichen haben. Genitalwarzen sind Wucherungen, die am Penis, Hodensack, in der Leistengegend oder an den Oberschenkeln auftreten. Sie können erhaben oder flach sein, einzeln oder in Gruppen auftreten, groß oder klein sein. Alle sexuell aktiven Männer und Frauen können sich HPV zuziehen. Die Infektion wird durch direkten Kontakt bei vaginalem, oralem und analem Sex übertragen. Bei Frauen können Genitalwarzen an den äußeren und inneren Geschlechtsorganen auftreten und Babys können sich während der Geburt infizieren, obwohl dies selten ist.

Geheimtipp aus Lous Archiv

Untersuchungen lassen darauf schließen, dass dreißig Prozent der sexuell aktiven Menschen HPV-Träger sind. In bestimmten Altersgruppen und an bestimmten Orten ist der Anteil sogar noch höher.

Da HPV über Jahre latent vorhanden sein kann, kann es plötzlich zu einem Ausbruch kommen, selbst wenn der Betroffene jahrelang monogam war. Die Diagnose wird normalerweise bei einer äußerlichen Untersuchung gestellt. Es gibt spezielle Virentests, die jedoch bei einer normalen ärztlichen Untersuchung nicht durchgeführt werden. Wissenschaftler arbeiten zurzeit auch an einem effektiven Bluttest. Da es nach wie vor keine Heilung für diese Krankheit gibt, empfehle ich die Einschränkung der Zahl von Partnern und Safer Sex-Praktiken. Männer sollten ihren Intimbereich einer regelmäßigen Untersuchung unterziehen, und dabei auch auf Abnormitäten an den Hoden achten. Sie sollten auch die Frau in ihrem Leben daran erinnern, in regelmäßigen Abständen einen Abstrich vornehmen zu lassen. Etwaige Wucherungen auf der Haut sollten, selbst wenn sie nicht schmerzen, ebenfalls überprüft werden. Die Übertragbarkeit steht zu einem gewissen Grad mit dem Auftreten und Verschwinden der Warzen in Verbindung.

Wichtig ist, dass die Mehrheit der Menschen, die sich den Virus zuzieht, nie erkrankt. Bestimmte HPV-Arten sind nicht nur schmerzhaft, sondern können bei Frauen abnorme Veränderungen am Muttermund verursachen, die krebsartig sein können. Nur ein Arzt kann hier weiterhelfen. Für Genitalwarzen gibt es verschiedene Behandlungsmethoden wie das Vereisen, Laseroperationen und Hautcremes. Einige dieser Behandlungsmethoden werden vom Arzt durchgeführt, andere durch den Betroffenen selbst. Keins dieser Mittel führt jedoch zur Heilung.

Hepatitis B

Eine Infektion, die durch den Hepatitis B-Virus verursacht wird, gilt normalerweise nicht als sexuell übertragbare Krankheit, doch sie wird durch infiziertes Sperma, Scheidenabsonderungen und Speichel übertragen und ist viel ansteckender als HIV. Man kann sich Hepatitis B durch vaginalen, oralen und – vor allem – analen Sex zuziehen und sich auch durch direkten Kontakt mit einer infizierten Person über offene Wunden oder eine Schnittverletzung mit dem Virus infizieren. Wenn daher eine Person in Ihrem Haushalt infiziert ist, können Sie sich mit

Hepatitis B sogar durch die Verwendung derselben Rasier-
klinge oder Zahnbürste anstecken.

Hepatitis B greift die Leber an. Bei der mildesten Form der
Krankheit weiß der Betroffene meistens nicht einmal, dass er
infiziert ist, doch bei einigen Trägern kommt es zu einer Leber-
zirrhose und/oder Leberkrebs. Das Risiko, an Leberkrebs zu
erkranken ist zweihundert Mal höher, wenn man Hepatitis
B-Träger ist. Die auftretenden Symptome ähneln stark einer
Magen-Darm-Grippe. Suchen Sie sofort einen Arzt auf, wenn
Sie unter Übelkeit, unerklärlicher Müdigkeit, dunklem Urin
oder Gelbwerden von Augen und Haut leiden. Heute gibt es
effektive und sichere Behandlungsmöglichkeiten, die Mehrzahl der an Hepatitis B-Erkrankten erholt sich jedoch ganz von
selbst wieder.

Es gibt eine Hepatitis B-Impfung, die aus einer Reihe von In-
jektionen in den Arm besteht. Um sicher geschützt zu sein,
müssen alle drei Impfungen durchgeführt werden. Wenn Sie
wissen, dass Ihre Partnerin unter Hepatitis B leidet, sind Sie
nach der Impfung geschützt, aber Sie sollten testen lassen, ob
Sie auf die Impfung angesprochen haben. Menschen, die keinem besonderen Risiko (etwa einem infizierten Partner) ausgesetzt sind, brauchen den Test wahrscheinlich nicht, die Impfung genügt. Hepatitis B ist die einzige sexuell übertragbare
Krankheit, gegen die es eine Impfung gibt.

Sie kommt hauptsächlich bei jungen Männern und Frauen
im Teenager- und Twenalter vor, und wenn man sich infiziert
hat, besteht das Risiko, ein Leben lang Träger der Krankheit zu
sein, unter chronischen Leberproblemen zu leiden oder an Krebs
zu erkranken. Pro Jahr infizieren sich ca. 5000 bis 10 000 Menschen in Deutschland mit Hepatitis B. Nicht alle Ärzte sind
sich dieses schnell anwachsenden Problems bewusst, und Sie
sollten deshalb nicht zögern, um eine Impfung zu bitten, speziell, wenn Sie häufig die Partnerin wechseln. Hepatitis B wird

leicht von der Schwangeren auf das ungeborene Kind übertragen. Die Krankheit kann auch an kleine Kinder und Säuglinge weitergegeben werden, lässt sich jedoch in den meisten Fällen durch eine Impfung nach der Geburt verhindern.

HIV und AIDS

Die erwartete Zahl der Menschen in den USA, die sich in diesem Jahr mit HIV infizieren wird, beträgt 45 000, und die Anzahl neuer Infektionen nimmt immer noch nicht ab. Das Frustrierende an dieser Statistik ist, dass wir zwar wissen, wie eine HIV-Übertragung verhindert werden kann, und über aggressive neue Anti-Virus-Therapien zur Behandlung verfügen, aber doch nicht in der Lage sind, die Ausbreitung der Krankheit zu stoppen.

Zahlen der Centers for Disease Control (CDC) vom Februar 1999 zeigten, dass die Mehrzahl (51 Prozent) der HIV-Infizierten in den USA heterosexuell ist. HIV und AIDS sind längst nicht mehr das Problem von Homosexuellen und Fixern, meine Herren! Außerdem ist das Durchschnittsalter der Neuinfizierten gesunken, und besonders unter den Jugendlichen hat die Zahl der Infektionen zugenommen.

HIV und AIDS sind nicht dasselbe – das eine geht dem anderen voraus. Ohne eine HIV-Infektion kann man nicht an AIDS erkranken. Allerdings kann man einen positiven HIV-Test haben, ohne dass AIDS diagnostiziert wird. Acquired Immune Deficiency Syndrome (AIDS) ist eine Diagnose, die aus einer Infektion mit einem Virus resultiert, der als humaner Immunschwächevirus (HIV) bezeichnet wird. Wenn der Betroffene HIV-positiv ist, war sein Organismus dem Virus ausgesetzt und zeigt eine Immunreaktion.

Das bedeutet jedoch nicht automatisch, dass er auch an AIDS erkranken muss. HIV greift das Immunsystem an, sodass der Körper nicht mehr in der Lage ist, an sich relativ harmlose Krankheiten abzuwehren. Bei HIV handelt es sich um eine sexuell übertragbare Krankheit, die durch Körperflüssigkeiten übertragen wird, die reich an weißen Blutzellen sind: Blut, Sperma, Scheidenflüssigkeit und Muttermilch. Es ist kein durch Tröpfcheninfektion übertragbarer Virus und kann nicht durch einfachen Hautkontakt weitergegeben werden kann. Durch Berührungen, Essen, Husten, Mücken, Toilettenbrillen, Schwimmbäder und Blutspenden wird HIV *nicht* übertragen. Auch durch Speichel kann der Virus nicht übertragen werden. In sehr seltenen Fällen wurde HIV beim Küssen durch blutendes Zahnfleisch oder offene Geschwüre im Mund übertragen. Es ist die starke Vaskularisation des Schleimhautgewebes von After, Mund und Scheide (d.h. die starke Blutversorgung nahe der Oberfläche), die diese Bereiche für eine Infektion besonders anfällig macht.

Bei HIV treten normalerweise keine Symptome auf. Man kann mit dem Virus infiziert sein und sich jahrelang völlig gesund fühlen. Ein kleiner Prozentsatz der Infizierten bekommt während der Primärinfektion eine akute mononukleaseartige Krankheit. Unbehandelt führt der Virus langfristig jedoch fast immer zu AIDS; und da das Immunsystem versagt, können die Symptome für AIDS von einer Erkältung bis zum Krebs reichen. Obwohl AIDS nicht geheilt werden kann, gibt es neue Medikamente, die die Wirkung von HIV auf das Immunsystem drastisch verlangsamen.

Es kann bis zu sechs Monate dauern, bis das Immunsystem bei einer HIV-Infektion Antikörper entwickelt. Jeder sexuell aktive Mensch sollte deshalb zwei HIV-Tests durchführen lassen – den ersten direkt nach einer riskanten Verhaltensweise und den zweiten nach sechs Monaten. Diese Wartezeit ist die Basis für eine Unbedenklichkeitsbescheinigung, bevor der Betroffene mit einem neuen Partner oder einer neuen Partnerin ungeschützten Sex haben kann. Leider reicht es nicht immer aus, den Beteuerungen des Partners, dass er gesund sei, zu glauben. Viele Menschen wurden schon durch Partner betrogen, die erklärten, HIV-negativ zu sein, was nicht stimmte.

In einem Fall erfuhr eine junge Mutter erst nach der Geburt ihrer Tochter, dass sie mit HIV infiziert war. Als der Arzt ihr diese schreckliche Nachricht mitteilte, war sie völlig geschockt. Sie und ihr Mann wurden sofort getestet und beide waren HIV-positiv. Schließlich stellte sich heraus, dass der Ehemann vor der Heirat eine kurze Affäre mit einer alten Freundin gehabt hatte. Da die beiden sich gut kannten, verzichteten sie auf Kondome (die Freundin nahm die Pille). Leider wusste die Frau nicht, dass sie infiziert war und steckte den Mann unwissentlich an, was zu einem regelrechten Dominoeffekt geführt hat.

Es ist sehr wichtig, dass Sie sich die Ergebnisse des HIV-Tests Ihrer Partnerin und all ihrer Tests für sexuell übertragbare Krankheiten zeigen lassen, vor allem, wenn Sie sie nicht gut kennen (aber nicht darauf beschränkt). Vielleicht können Sie sich gemeinsam testen lassen. Genauso wichtig ist es, dass Ihre Partnerin die Ergebnisse Ihrer Tests sieht. Statt darauf zu warten, dass sie Sie darum bittet, sollten Sie ihr die Ergebnisse als Zeichen Ihres guten Willens von selbst zeigen. Wenn Ihre Partnerin sich weigert, Ihnen ihre Testergebnisse zu zeigen, sollten Sie auf gar keinen Fall ungeschützten Sex mit ihr haben. Denken Sie daran, dass es *Ihre* Gesundheit und möglicherweise Ihr Leben ist, das durch ihre Geheimnistuerei in Gefahr gerät. Wenn jemand tatsächlich gesund ist, wird er kein Geheimnis daraus machen wollen.

Wenn Sie einen HIV-Test machen lassen, sollten Sie sich des Unterschieds zwischen vertraulich und anonym bewusst sein. Es ist nicht dasselbe. Wenn Sie einen *anonymen Test* durchführen lassen, werden Sie nur anhand einer Zahl oder Buchstabenkombination identifiziert, nicht durch Ihren Namen, Ihre

Versicherungsnummer oder andere zur Identifikation dienende Informationen. Nach Abnahme der Blutprobe bestätigen Sie, dass die Zahlen/Buchstaben auf dem Fläschchen und Ihrem Identifikationszettel dieselben sind. Eine Woche später suchen Sie die Stelle, wo der Test durchgeführt wurde, wieder auf und lassen sich das Ergebnis mitteilen. Das Ergebnis wird nicht telefonisch mitgeteilt.

Bei einem *vertraulichen Test* sind die Ergebnisse vertraulich, aber die Vertraulichkeit wird durch die Personen, die Zugriff auf die Informationen haben, eingeschränkt. Bei einem solchen Test geben Sie Ihren Namen an und setzen Ihr Vertrauen in den Arzt, die Krankenschwester oder Klinik, wo Sie den Test durchführen lassen. Vor zwei Jahren kopierte beispielsweise der Mitarbeiter einer Klinik in den Südstaaten der USA die Liste aller, bei denen der HIV-Test positiv ausgefallen war, und verkaufte die Liste für fünfzig Dollar pro Seite in einer örtlichen Bar. Natürlich war dies die völlig unethische Handlung eines Kriminellen, und so etwas kommt nicht alle Tage vor. Doch Sie können bei vertraulichen Tests nie zu hundert Prozent sicher sein und sollten sich deshalb vielleicht lieber anonym testen lassen.

Es gibt inzwischen auch schon eine Testmethode für HIV. Dabei handelt es sich um eine Methode zur Untersuchung des Speichels, bei der kein Blut abgenommen werden muss und die zu 99 Prozent genau ist. Analog zum Bluttest wird der Speichel auf das Vorhandensein von HIV-Antikörpern getestet.

Einige wichtige Hinweise zu HIV und AIDS:

1. Es gibt mehrere HIV-Virusarten: A, B, C, D, E, F, M und O. Jede Art hat wiederum verschiedene Unterarten. Wenn also jemand bereits positiv ist, kann er dennoch mit einer anderen Form des Virus infiziert werden, was bei ihm sogar noch leichter ist, da sein Immunsystem ja bereits geschwächt ist.

2. Die häufigste in Nordamerika und Europa auftretende HIV-Art ist B, in Südostasien ist es E. Zentralafrika ist ein Schmelztiegel verschiedener Arten.

3. Manche Unterarten scheinen ansteckender zu sein als andere. Abhängig von der jeweiligen Virulenz, der der Betroffene ausgesetzt ist, lässt sich bei diesen Unterarten eine AIDS-Diagnose fast sofort stellen.

4. »HIV-positiv« bedeutet, dass Sie dem HIV-Virus ausgesetzt waren, der AIDS verursacht. Ihr Körper zeigt eine positive Immunreaktion auf den HIV-Virus.

5. 1993 legten die amerikanische CDC eine Definition zur Diagnose von AIDS fest, sodass Ärzte AIDS nun einheitlich diagnostizieren und die Betroffenen besser für die verschiedenen Medikamentenprogramme qualifizieren können.

6. Nach einem Risikoverhalten sollte man im Abstand von sechs Monaten zwei HIV-Tests machen lassen, da es bis zu sechs Monaten dauern kann, bis die Antikörper in einem Test nachgewiesen werden können.

7. Ein Test, der als PCR (Polymerase-Kettenreaktion) bezeichnet wird, testet auf den tatsächlichen Virus im Blut des Betroffenen und nicht auf Antikörper. Im Vergleich zu den herkömmlichen Tests ist dieser zuverlässiger und etwas schneller. Der PCR-Test ist aber sehr teuer und wird bei uns hauptsächlich bei Fällen eingesetzt, in denen der herkömmliche Test kein eindeutiges Ergebnis gemacht hat.

8. Nur weil jemand keine feststellbare Virenlast hat, bedeutet dies nicht, dass er andere nicht anstecken kann.

9. Schätzungsweise 80 Prozent der HIV-positiven Menschen wissen nichts von ihrer Infektion, weil sie nie getestet wurden.

10. Eine opportunistische Infektion ist eine Infektion, die für einen gesunden Menschen nicht bedrohlich ist, doch bei einem Patienten mit einem geschwächten Immunsystem lebensbedrohlich sein kann.

Ich habe hier nur die häufigsten sexuell übertragbaren Krankheiten angesprochen – insgesamt kennt man über fünfzig. Niemand sollte Angst davor haben, beim Sex für seine Gesundheit zu sorgen. Vielmehr hoffe ich, dass sicheres und vorsichtiges Verhalten in Sachen Liebe durch diese Informationen zu einer Sache des Selbstrespekts wird. Es gibt einfach keine Entschuldigung dafür, ohne Schutzmaßnahmen mit einem Menschen eine sexuelle Beziehung einzugehen, bei dem Sie sich seiner Gesundheit nicht hundertprozentig sicher sind. Sie fahren ja auch nicht ohne Haftpflichtversicherung Auto. Es liegt ganz allein in Ihrer Verantwortung, in Bezug auf Ihren Gesundheitszustand ehrlich zu Ihrer Partnerin zu sein, egal, wie zufällig oder eng Ihre Beziehung auch ist. Es liegt auch allein in Ihrer Verantwortung, dafür zu sorgen, dass Sie eine Krankheit nicht unbewusst auf eine Partnerin übertragen.

Die Wahl des richtigen Kondoms

Es stehen viele verschiedene Kondome zur Auswahl, aber nicht alle sind Qualitätsprodukte. Achten Sie deshalb beim Kauf auf anerkannte Gütesiegel auf der Packung und denken Sie bei der Verwendung von Kondomen an folgende Punkte:

• Ein Kondom kann während des Geschlechtsverkehrs aus den verschiedensten Gründen platzen. Fast immer ist dies jedoch auf falsche Handhabung zurückzuführen. So wurde die Folie vielleicht mit den Zähnen geöffnet, die Kondome wurden längere Zeit im Geldbeutel herumgetragen oder im Handschuhfach des Autos aufbewahrt, wo das Latex langsam durch die Hitze zersetzt wird, sodass es leichter reißt. Auch Gleitmittel auf Ölbasis (z.B. Vaseline) zerstören Latexkondome. Die zusammengepresste rechteckige Verpackung einiger Kondommarken reduziert die Langlebigkeit der Kondome ebenfalls.

• Bei einer von Dr. Bruce Voeller, dem Gründer der Mariposa-Stiftung, durchgeführten Untersuchung wurde festgestellt, dass Männer, bei denen Kondome ständig platzten, eine ganz alltägliche Handlotion als Gleitmittel verwendet hatten. Ein Gleitmittel muss eine Wasserbasis haben, und die meisten Handlotionen enthalten irgendeine Form von Öl. Öl ist der tödliche Feind jedes Latexkondoms, weil es das Material sofort zersetzt. Daher ist es äußerst wichtig, die Inhaltsstoffe einer Lotion sorgfältig zu überprüfen, bevor sie zusammen mit einem Latex-Kondom verwendet wird. Noch besser ist es natürlich, ein speziell für diesen Zweck gedachtes Gleitmittel zu verwenden.

• Die am häufigsten vorgebrachte Entschuldigung von Männern, die ungeschützten Sex hatten, lautet, dass sie Kondome nicht mögen, weil diese das Vergnügen verringern. Ein absolut unzulässiges Argument, wenn es um die Sicherheit geht.

• Eine andere Entschuldigung, die oft von Männern in meinen Seminaren vorgetragen wird, lautet, dass ihr Penis zu groß für die handelsüblichen Kondome sei. Meistens öffne ich dann ein normal großes Kondom und entrolle es über meine Hand. Dann ziehe und dehne ich es so weit, dass es den ganzen Unterarm bedeckt und über den Ellbogen hinaus reicht (glauben Sie mir, es geht). Wie viel größer könnte Ihr Penis sein? Probieren Sie es selbst aus, wenn Sie mir nicht glauben.

• Für jene Herren, die einen dicken, breiten Penis haben, gibt es aber auch spezielle Kondome. Bei diesen Männern sitzt ein normales Kondom möglicherweise ein wenig zu eng am Ende des Schafts und/oder an der Spitze.

Geheimtipp aus Lous Archiv

Da der Herpesvirus und HPV auch die Haut, die nicht von einem Kondom abgedeckt wird, angreifen kann, ist hier der Schutz durch Kondome nicht so gut wie bei HIV oder Chlamydia, die im Allgemeinen nur über Körperflüssigkeiten verbreitet werden. Sie können den Schutz jedoch erhöhen, indem Sie bei aktiven Infektionen direkten Hautkontakt ganz vermeiden.

• Das Spermizid Nonoxynol-9 wurde in den zwanziger Jahren in den USA als Reinigungslotion für Krankenhäuser eingeführt. Diese aggressive Substanz ist in Diaphragma-Gels, verhütendem Schaum, Portiokappen oder Kondomen enthalten, die spermaabtötend wirken. Das Spermizid zersetzt die Fettschicht des Spermas – können Sie sich vorstellen, was dieses Mittel an der empfindlichsten Stelle ihrer Partnerin anrichtet? Es kann bei Hautkontakt die Haut praktisch verbrennen. Außerdem habe ich von vielen Frauen gehört, dass sie bei Verwendung von Nonoxynol-9 unter ständigen Blasen- und Scheideninfektionen leiden. Wenn Sie oder Ihre Partnerin über Reizungen klagen, sollten Sie diese unangenehme Substanz ganz vermeiden. Ein Seminarteilnehmer berichtete Folgendes: »Meine Frau und ich verwendeten nach der Geburt unseres Sohnes ein Diaphragma zusammen mit Schaum. Ständig litt sie unter Scheideninfektionen, die nie zu verschwinden schienen. Sie litt dauernd unter Schmerzen und schließlich schliefen wir nicht mehr miteinander. Als ich in Ihrem Seminar erfuhr, was es mit Nonoxynol-9 auf sich hat, wurde uns klar, wer der Schuldige war. Als wir aufhörten den Schaum zu benutzen, war innerhalb einer Woche alles wieder in Ordnung.« Nonoxynol-9 reduziert außerdem die durchschnittlich fünfjährige Haltbarkeit von Kondomen um zwei Jahre.

- Auch wenn Sie etwas anderes gehört haben – Verhütungsmittel, die Nonoxynol-9 enthalten, dienen nur dazu, das Risiko unerwünschter Schwangerschaften zu reduzieren, und mindern *nicht* das Risiko, sich mit sexuell übertragbaren Krankheiten anzustecken.
- Bisher ist das Latex-Kondom der beste Schutz vor HIV, Gonorrhö und Schwangerschaft, wenn es vom Mann korrekt bei jedem Geschlechtsverkehr verwendet wird. Das Problem ist aber, dass zehn Prozent der Bevölkerung allergisch auf Latex reagieren.

Geheimtipp aus Lous Archiv

»Meine Verlobte verwendete ein Verhütungsmittel, das wie ein Tampon eingeführt wird. Wenn wir dann Sex hatten, spürte ich plötzlich dieses Brennen am Penis. Schließlich wurde mir klar, dass es das Nonoxynol-9 war, das die Penisspitze reizte. Ich war tagelang wund und hatte furchtbare Schmerzen beim Urinieren.«

- Spermizide sollten immer zusammen mit und nie anstelle von Kondomen verwendet werden.
- Seien Sie bei Gag-Kondomen (z.B. Kondome, die in der Dunkelheit leuchten) vorsichtig. Sie dienen nicht zum Schutz vor Schwangerschaften oder sexuell übertragbaren Krankheiten.
- Kondome mit Rippen bewirken bei einer Frau gar nichts. Sie wurden erfunden, damit Männer sie kaufen und denken, dass es sich bei ihr toll anfühlt. Tut es aber nicht.
- Kondome, die am Ende mit einem kleinen Hut versehen sind, sind zwar ganz witzig, erhöhen jedoch nicht das Vergnügen für die Partnerin. Warum? Im oberen Scheidenbereich empfinden die meisten Frauen nur Druck und spüren den kleinen Hut gar nicht.

- Wenn es Ihnen peinlich ist, Kondome im Laden zu kaufen, können Sie sie auch bei Erotik-Versandhäusern per Post bestellen.

Aufregende Techniken für Safer Sex

Das Aufziehen eines Kondoms muss den Spaß oder die Erregung beim Sex nicht unterbrechen. Wenn Sie Ihre Partnerin dabei mit einbeziehen, kann dadurch der spielerische oder erotische Faktor sogar erhöht werden. So könnte sie beispielsweise das Kondom für Sie aufziehen, oder Sie könnten es gemeinsam tun, indem Sie beide Ihre Hände einsetzen, während Sie es über den Penisschaft rollen. Für die abenteuerlustige Frau gibt es die »Italienische Methode«. Dabei benutzt die Frau beim Aufziehen des Kondoms ihren Mund.

Sie können auch diesen Trick ausprobieren: Geben Sie einen Klacks Gleitmittel in die Spitze des Kondoms, bevor Sie es aufziehen (es sollte ein Gleitmittel auf Wasserbasis sein, damit das Latex nicht angegriffen wird). Dadurch wird die Empfindung für Sie verbessert, indem das »klebrige« Gefühl des Kondoms reduziert wird.

3. Kapitel

So bringen Sie sie in Stimmung

Mehr als bloß das Vor-Spiel

Die meisten Menschen unterteilen Sex in zwei Phasen: das Vorspiel und den Geschlechtsverkehr. Wie beim Sport wärmen wir uns erst ein wenig auf, bevor wir für »das Spiel selbst« bereit sind. Ich möchte diese Formel umkehren: Um fantastischen Sex zu haben, muss auch das Vorspiel fantastisch sein. Dies trifft besonders für Frauen zu, die den eigentlichen Geschlechtsverkehr nicht so recht genießen können, wenn sie nicht vorher durch das Vorspiel erregt wurden. Doch worin genau besteht das Vorspiel? Für Frauen hat das Vorspiel zwei wesentliche Stufen. Zuerst wird ihr Geist erregt, dann ihr Körper. In diesem Kapitel werde ich Ihnen deshalb zunächst zeigen, wie Sie ihren Kopf verführen können. Dies ist im Grunde ganz einfach: Zuerst kommt die Romantik und dann das Relaxen.

Dieses Konzept ist simpel, aber ich kann nicht genug betonen, wie wichtig es ist, sie in Stimmung zu bringen, damit sie sich wirklich gehen lassen kann und Sie ihr höchstes erotisches Vergnügen bereiten können. Der Grund, warum Romantik und Relaxen so wichtig sind, besteht darin, dass sie unser wichtigstes Geschlechtsorgan – das Gehirn – stimulieren.

Geheimtipp aus Lous Archiv

Die beste Tageszeit für Sex ist immer dann, wenn nicht mit Störungen
zu rechnen ist und wenn Sie völlig entspannt sind. Es ist daher wichtig, sich wie bei jeder anderen Aktivität auch die entsprechende Zeit
zu nehmen. Bei Frauen sind die Hormone zwischen 7 und 10 Uhr morgens ganz auf Liebe eingestellt, bei Männern etwa um 10 Uhr morgens. Warum also nicht diese Zeit nutzen?

Wie Sie ihr ganz romantisch den Hof machen

Auch, oder gerade in unserer Zeit der Emanzipation und der
neuen Sachlichkeit macht es eine Frau garantiert schwach,
wenn er auf herrlich altmodische Weise um sie wirbt. Das
meine ich absolut ernst, und es widerspricht auch nicht der
Tatsache, dass sie als gleichberechtigte Partnerin behandelt
werden möchte. Doch Frauen wollen auch das Gefühl haben,
etwas ganz Besonderes zu sein, und dieses Gefühl rufen Sie als
Mann in ihr wach, wenn Sie Ihre Partnerin wie eine Lady behandeln. Schließlich ist dies eine ganz einfache Gleichung: Nur
ein wahrer Gentleman kann eine Frau wie eine Lady behandeln, und da es immer weniger echte Gentlemen gibt, werden
diejenigen, die einer Frau noch richtig den Hof machen können, einen echten Marktvorteil haben.

Um sich wie ein echter Gentleman zu benehmen, muss man
entsprechend denken. Wieder hängt es also ganz von Ihrer inneren Einstellung ab. Geben Sie Ihrer Partnerin das Gefühl, dass
Sie sie gern liebevoll umsorgen, ihre Wünsche respektieren und
ihr Vergnügen und Wohlergehen in den Mittelpunkt stellen.

Eine Hauptzutat höflichen Verhaltens sind gute Manieren.
Leider bringen viele Eltern ihren Söhnen heute keine guten
Manieren mehr bei, und viele Männer haben dieses »unmo-

derne« Verhalten abgelegt, selbst wenn sie in der Kindheit zu guten Manieren angehalten wurden. Doch gute Manieren sind im Grunde nichts anderes als die freundliche und respektvolle Art, mit anderen umzugehen.

Was sind gute Manieren? Seien Sie höflich, zuvorkommend und behandeln Sie Frauen so, wie sie gerne behandelt werden möchten. Es gibt bestimmte gesellschaftliche Nettigkeiten, die nur ein Mann leisten kann. Es handelt sich hier keinesfalls um eine umfassende Liste und Sie können nach Belieben weitere Verhaltensweisen hinzufügen.

Öffnen Sie ihr die Tür. Diese kleine Geste wird oft unterschätzt, aber für die meisten Frauen ist es ein Zeichen des Respekts. Ich muss allerdings zugeben, dass Männer mir unerfreuliche Geschichten von Frauen erzählt haben, die mit einem höhnischen Lächeln auf diese Geste reagiert haben. Als emanzipierte und unabhängige Frau finde ich diese Reaktion einfach traurig. Mir gefällt die gesellschaftliche Anerkennung meiner Weiblichkeit, und ich glaube, die meisten Frauen müssen tief in ihrem Innern zugeben, dass es ihnen auch gefällt, wie eine Dame behandelt zu werden. Viele Männer haben mir auch berichtet, dass es ihnen wirklich Spaß macht, höflich zu sein, und sich nichts mehr wünschen als eine Frau, die ihre Wertschätzung durch ein Lächeln oder Kopfnicken zeigt.

Die historische Entstehung dieser Sitte ist keineswegs so bezaubernd und höflich. In weniger zivilisierten und von Kriegen beherrschten Zeiten stießen Männer eine Frau vor sich her durch einen unbekannten Eingang, um festzustellen, ob sich dahinter Feinde aufhielten. Da Frauen als weniger wertvoll galten als Männer, wurden sie praktisch als Opferlamm behandelt. Dieses Grundprinzip änderte sich später, als Frauen vor dem Mann einen Raum betraten, um seinen Reichtum und Status vorzuführen: Je schöner und geschmückter die Frau war, desto wichtiger war die Stellung des Mannes. In gewissen gesellschaftlichen Kreisen herrscht diese Einstellung wohl immer noch vor.

Öffnen Sie die Autotür für sie. Kennen Sie den Witz, dass man eine Ehefrau daran erkennt, dass sie über Schneeverwehungen klettern muss, um ins Auto einsteigen zu können? Wenn Sie die Frau in Ihrem Leben hingegen von Anfang wissen lassen, dass Sie gerne die Wagentür für Sie öffnen möchten, wird Sie diese schöne Geste sehr zu schätzen wissen. Vielleicht ist diese Geste für Sie beide etwas gewöhnungsbedürftig, aber ich meine, dass es ein freundliches und lohnendes Verhalten ist, das Sie Ihrem Repertoire als Gentleman hinzufügen können. Die Mutter eines Freundes weigert sich, aus dem Auto auszusteigen, wenn ein Mann nicht die Tür für sie öffnet. Dies mag etwas extrem sein, aber ich finde es gut, dass sie zu ihrer Überzeugung steht. Wenn Sie einen tiefer gelegten Wagen haben, könnten Sie der Frau in Ihrem Leben beim Einsteigen auch die Hand reichen.

Wenn Sie beide in ein Taxi, den Bus oder ein anderes öffentliches Verkehrsmittel ein- oder aussteigen, könnten Sie ihr ebenfalls galant die Hand oder den Arm reichen.

Stehen Sie auf, wenn eine Dame den Raum betritt oder verlässt. Ich möchte darauf hinweisen, dass diese Geste für *alle* gesellschaftlichen Situationen und nicht nur für geschäftliche Anlässe gedacht ist. Als ich zur Schule ging, wurde erwartet, dass wir aufstanden, wenn ein Lehrer die Klasse betrat oder verließ. Es war eine deutliche Zurschaustellung unseres Respekts für Menschen, die älter waren als wir. In der Öffentlichkeit kann es eine wunderbare Geste der Rücksichtnahme und Höflichkeit sein, wenn Sie für eine Frau aufstehen oder sich kurz von Ihrem Stuhl erheben. Ein Mann aus meinem Seminar: »Es ist eine einfache Geste, die viel Wirkung zeigt. Ich weiß, dass sie weiß, dass sie mir wichtig ist.«

Ziehen Sie den Stuhl für sie zurück. Genau wie beim Einparken eines Autos sind bei dieser Geste mehrere Vor- und Rück-

wärtsbewegungen und Finesse erforderlich. Wenn sie beispielsweise in einem engen Restaurant von der Toilette zurück-
kehrt, müssen Sie nicht eilfertig aufspringen. Ziehen Sie einfach leicht ihren Stuhl zurück, wenn sie an den Tisch zurück-
kehrt. Sie erkennt so Ihre höfliche Geste, und Sie müssen nicht
wie ein Butler hinter ihr aufspringen.

*Nehmen Sie Ihren Arm oder legen Sie leicht Ihre Hand auf
ihren Rücken.* Beide Gesten können in der Öffentlichkeit eingesetzt werden und zeigen Ihre Zuneigung, ohne aufdringlich
oder anstößig zu wirken. Ihre Hand zu halten oder Ihren Arm
um ihre Schultern zu legen ist zwangloser und daher bei öffent-
lichen Anlässen oft nicht angebracht. Solche Gesten sparen Sie
sich lieber für einen Spaziergang am Wochenende auf, für den
gemeinsamen Kinobesuch oder ein intimes Dinner zu zweit.

Helfen Sie ihr beim Tragen. Eine Frau berichtete: »Als wir
uns kennen lernten, sagte mein Freund, dass er alle meine Einkaufstüten und -taschen tragen würde. Er war der Meinung,
dass ich nur meine Handtasche tragen solle. Es dauerte eine
Weile, bis es mir dämmerte, dass er mir auf diese Weise ›Ich
liebe dich‹ sagte und seine Fürsorge für mich ausdrückte.«

Wenn eine Frau ihre Einkaufstüten lieber selbst tragen möchte, sollten Sie sie nicht mit Gewalt davon abhalten. Allerdings
haben die meisten Frauen nichts dagegen, wenn sie ihnen beim
Tragen helfen.

Geheimtipp aus Lous Archiv

Wenn die Frau in Ihrem Leben starke Düfte mag, schenken Sie ihr
Nachthyazinthen, Casablanca- oder Rubrumlilien. Wenn Sie diese
stark duftenden Blumen etwas abmildern möchten, geben Sie einen
Zweig Fresien dazu, die nur schwach duften.
Wenn Sie nie richtige Tischmanieren erlernt haben, besorgen Sie sich
in einem Buchladen einfach einen modernen »Knigge«.

Achten Sie auf gute Tischmanieren. Nichts ist abstoßender und peinlicher als schlechte Tischmanieren. Es ist sehr angenehm für eine Frau, wenn ihr Partner weiß, wie er sich bei Tisch zu benehmen hat und kultiviert und selbstsicher auftritt.

Verwöhnen Sie sie nach allen Regeln der Kunst

Wenn Sie einer Frau den Hof machen, sind nicht nur gute Manieren wichtig. Auch mit anderem romantischem Verhalten gewinnen Sie ihre ungeteilte Aufmerksamkeit. Mit Hilfe dieser Vorschläge werden Sie garantiert ihr Herz erobern und ihren Geist verführen.

Kochen Sie für sie. Immer mehr Männer gewinnen das Herz einer Frau mit ihrem kulinarischen Können, denn Liebe geht ja bekanntlich durch den Magen. Genau das passierte meiner Zwillingsschwester. Sie war völlig begeistert, als sie sah, dass ihr griechischer Ehemann neben den vielen anderen Talenten, über die er verfügt, ein wahrer Zauberer in der Küche war. Frauen finden Männer, die kochen können, sehr erregend. Genau wie ein Mann sich geliebt fühlt, wenn eine Frau für ihn kocht, fühlt eine Frau sich umsorgt und geschätzt, wenn ein Mann für sie kocht.

Frühstück im Bett. Ein romantisches Frühstück im Bett lässt sie den Tag mit einem Lächeln beginnen und Sie werden einen Tag lang ihr Traumprinz sein. Auf pieksende Zutaten sollten Sie allerdings lieber verzichten. Bei diesem erotischen Mahl ist es besser, weiche Nahrungsmittel zu servieren, die man leicht mit den Fingern essen kann. Probieren Sie es mit Obstsalat oder Croissants aus, mit denen man sich gut gegenseitig füttern kann. Bereiten Sie den Kaffee oder Tee so zu, wie sie ihn mag. Dazu stellen Sie eine kleine Milchkanne und Zucker oder Süßstoff auf das Tablett. Und noch ein heißer Tipp: Für Konfitüre gibt es interessantere Ruheplätze als den Toast, an dem sie gerade knabbert.

Sagen Sie es durch die Blume. Schon immer haben Männer ihrer Geliebten Blumen als Zeichen ihrer Zuneigung geschenkt. Blumen zeigen auf besonders schöne Weise, dass Sie ein echter Gentleman sind, und Sie werden noch mehr Eindruck schinden, wenn Sie ihre Lieblingsblumen kennen. Mit anderen Worten: Rote Rosen sind nett und fallen Ihnen noch als Erstes ein, aber oft berührt eine andere Blume ihr Herz wahrscheinlich mehr. So berichtete eine Frau in einem Seminar: »Als mein Freund herausfand, dass ich Lavendel liebe, klapperte er alle Blumenläden in der Stadt ab, um Lavendel für mich zu finden. Von meiner Schwester erfuhr ich, dass er dafür zwei Stunden lang unterwegs gewesen war. So einen Mann muss man doch einfach lieben!« Ein Mann meint dazu: »Wenn ein Mann einer Frau nach ihrer ersten Verabredung ein Dutzend rote Rosen schickt, war der Abend entweder erstklassig, oder er ist sich der Botschaft, die er damit vermittelt, nicht bewusst. Rote Rosen sind keine Blumen, die man einfach so als kleines Dankeschön schenkt.«

Geheimtipp aus Lous Archiv

Damit die schöne Erinnerung an Sie auch möglichst lange hält, sollten Sie immer frische Schnittblumen schenken. Fertige Sträuße und Rosen haben die kürzeste Lebensdauer. Oft werden die Zweige mit Knospen von Blumen, die fast schon verblüht sind, zu Gestecken verarbeitet. Achten Sie beim Kauf von Rosen auf die Kelchblätter (dabei handelt es sich um die grünen Blätter um die Rosenknospe herum): Wenn sie eng an der Knospe anliegen, ist die Rose frisch. Andernfalls sind es alte Blumen, die schon in ein, zwei Tagen die Köpfe hängen lassen und verblüht sind. Frische Rosen sollten sich fünf bis sieben Tage lang halten.

Relaxen ist das Wichtigste

Eine Frau wird normalerweise nicht erregt, wenn sie nicht entspannt ist und sich wohl fühlt. Und da gibt es eine ganze Reihe
bewährter Methoden, die Ihrer Partnerin dabei helfen, locker
zu werden, und die auch Ihnen Spaß machen könnten. Ein Arzt,
Mitte vierzig, berichtete: »Ich weiß, dass ich bei meiner Frau
für Entspannung sorgen muss, damit sie erregt wird. Wenn sie
sich nicht entspannen kann, weiß ich, dass nichts laufen wird.
Aus diesem Grund bin ich der König der Fußmassage.« Ein anderer Seminarteilnehmer, ein Architekt aus Madison, Wiscon-
sin, erzählte, dass er seiner Partnerin ein heißes Bad zubereitet:
»... mit ihrem liebsten Lavendel-Badesalz. Schon wenn Sie zur
Tür hereinkommt und das Bad riecht, weiß ich, dass sie mir
gehört.«

Wenn Ihre Partnerin spürt, dass Sie sie verwöhnen möchten
und Sie in ihr etwas ganz Besonderes sehen, ist das der Schlüssel zu einer entspannten sinnlichen Atmosphäre.

Geheimtipp aus Lous Archiv

Lustvolles Relaxen kann auch schon vierundzwanzig Stunden vor der
erotischen Begegnung beginnen – und zwar in Ihrem Kopf. Lassen Sie
Ihrer Fantasie freien Lauf!

Warum ist Entspannung so wichtig für Frauen? Weil Frauen
immer zehn Dinge gleichzeitig im Kopf haben (müssen). Dies
ist auf einen wahrnehmungspsychologischen Unterschied zwischen den Geschlechtern zurückzuführen: Frauen erleben ihre
Welt in der Form von komplexen Beziehungen, während Männer dazu neigen, alles in bestimmte einzelne Schubladen zu
stecken. Auf sexuelle Dinge bezogen bedeutet dies, dass Män-

ner ins Schlafzimmer gehen und das Alltagsgeschehen von einer Sekunde zur anderen hinter sich lassen können. Doch wenn Frauen ins Bett gehen, kann ihnen ungewollt noch ein ständiger Strom von Erledigungen und Problemen durch den Kopf gehen. Aus diesem Grund, meine Herren, müssen Sie Ihrer Partnerin helfen, sich zu entspannen und mental zur Ruhe zu kommen, wenn Sie sie verführen wollen. Es gibt eine direkte Verbindung: Wenn der Geist einer Frau nicht entspannt ist, wird ihr Körper es auch nicht sein.

Geheimtipp aus Lous Archiv

Wussten Sie, dass die Bezeichnung »Negligé« damit zu tun hat, dass die Frau, die es trägt, sich entspannen und die Hausarbeit einfach liegen lassen soll? Es stammt von dem lateinischen Wort *neglegere*, das »vernachlässigen« bedeutet, ab.

So schaffen Sie eine erotische Atmosphäre

Es gibt vier wesentliche Elemente, mit deren Hilfe sich eine Frau entspannen kann.

- Sorgen Sie für ihr geistiges und körperliches *Wohlbefinden*.
- Sorgen Sie dafür, dass es möglichst nicht zu irgendwelchen Störungen kommt.
- Nehmen Sie sich Zeit und suchen Sie einen passenden Ort aus (selbst wenn es nur zehn Minuten sind).
- Sagen und zeigen Sie ihr, wie sehr Sie *ihren Körper* lieben.

1. Beim geistigen und körperlichen Wohlbefinden geht es darum, für eine gute, sichere und angenehme Umgebung für die sexuelle Begegnung zu sorgen. Wenn Sie beispielsweise

nicht verheiratet sind und nicht zusammen leben, versuchen Sie, Ihr Schlafzimmer so herzurichten, dass es für Ihre Partnerin einladend ist. Hat sie eine Ecke in dem Zimmer, vielleicht eine Kommode, in der sie ihre Toilettenartikel und einige Kleidungsstücke aufbewahren kann? Wenn Sie verheiratet sind oder zusammen leben, sollten Sie ebenfalls auf den Zustand des Schlafzimmers achten, mithelfen, es in Ordnung zu halten, Ihre Kleidung weghängen, das Bett machen. Eine Frau erzählte in einem Seminar folgende Geschichte: »Ich hatte mich mit diesem einen Mann schon mehrmals getroffen, und langsam wurde es ernst. Wir hatten bereits miteinander geschlafen, aber nie bei ihm zu Hause. Er war ein sehr erfolgreicher Investment-Banker, der immer sehr gepflegt war und elegante Kleidung trug. Aber als ich zum ersten Mal seine Wohnung betrat, bin ich fast gestorben. Sie war total verdreckt. Die Gardinen waren schmutzig und der Duschvorhang war schimmlig. Ich war völlig angewidert und hatte keine Lust mehr auf Sex. An diesem Abend erfand ich eine Entschuldigung und ging nach Hause. Ein paar Tage später sagte ich ihm auf nette Art, dass er wegen seiner Wohnung etwas unternehmen müsse. Schließlich hatte er genug Geld, aber ich glaube, er kannte es einfach nicht anders.« Sauberkeit ist für die meisten Frauen ganz entscheidend.

2. Indem Sie Unterbrechungen möglichst vermeiden, machen Sie Ihre Umgebung zu einem Paradies für Intimität. Genau aus diesem Grund gibt es Anrufbeantworter, Türschlösser und – für die Eltern unter Ihnen – einen Babyalarm. Eine Frau berichtete: »Wir haben ein vierjähriges und ein neun Monate altes Kind. Wir sind beide berufstätig und am Ende des Tages normalerweise völlig erschöpft. Aber jeden Monat planen wir ein Wochenende nur für uns allein. Ein Babysitter, der die Nacht über bleibt, kümmert sich um die Kinder,

und wir mieten ein Hotelzimmer oder übernachten im Haus von Freunden, die verreist sind. So können wir unsere Beziehung ungestört neu beleben und uns wieder so fühlen wie am Anfang, als wir frisch verliebt und noch nicht verheiratet waren. Damals bestand das Problem in unseren hektischen geschäftlichen Terminen, sodass wir unsere Terminpläne Monate im Voraus aufeinander abstimmten mussten. Als wir heirateten und Kinder bekamen, hatte ich am Anfang Schuldgefühle und wollte sie nicht alleine lassen. Doch diese Wochenenden sind der Kick für unsere Ehe! Vor zwei Monaten war unser kleiner Sohn krank, der ältere hatte gerade die Waschmaschine mit Katzenstreu verstopft und der Gärtner hatte den Abstellraum in der Garage überschwemmt. Inmitten dieses Chaos schauten wir beide uns nur an und sagten wie aus einem Mund: »Nur noch zwei Nächte bis zum Samstag«, dem Tag, an dem unser nächstes romantisches Rendezvous geplant war. Wir brachen beide in Gelächter aus.«

3. Sorgen Sie durch Planung für den richtigen Ort und die richtige Zeit. Genau wie Sie sich Zeit für Ihr Training im Fitnessstudio, ein Golfspiel oder die Autopflege nehmen, sollten Sie die entsprechende Zeit für Liebe und Entspannung einplanen. Eine Frau erzählte in einem Seminar, dass »ein Grund dafür, dass ich mich immer wieder in meinen Mann verliebe, seine Fähigkeit ist, mich auf romantische Art zu verwöhnen. Das können ganz einfache Dinge sein, indem er mich beispielsweise in ein anderes Zimmer führt, wo ich Ruhe vor den Kindern habe, und mir mein Lieblingseis serviert. Er schafft es einfach immer wieder, Ruhe und Raum nur für uns beide zu schaffen und etwas wirklich Nettes zu tun. Oft müssen wir bis später warten, aber wenn ich schon in der richtigen Stimmung bin, haben wir öfter mal ein Quickie im Badezimmer, wobei wir die Dusche laufen lassen (das Kin-

derzimmer liegt gleich nebenan), und er nimmt mich von
hinten, während wir uns dabei im Spiegel beobachten.«
Nutzen Sie jede Gelegenheit, Ihrer Partnerin Ihre Aufmerksamkeit zuteil werden zu lassen, und sie im Alltag zu verwöhnen – das ist es, was sie in Stimmung bringt.

4. Geben Sie ihr ein gutes Gefühl. Eine Frau kann sich nicht
entspannen und sich nicht ganz hingeben, wenn sie sich gehemmt fühlt und ihren eigenen Körper nicht mag. Frauen
blühen dagegen regelrecht auf, wenn man ihnen Aufmerksamkeit schenkt und Komplimente zu ihrem Körper macht.
Die meisten Frauen (selbst jene, die den Körper eines Models haben) stellen ihre Attraktivität in Frage und haben oft
negative Gefühle gegenüber ihrem Körperbild. Ich nehme
an, dass Sie Ihre Partnerin attraktiv finden, denn sonst hätten Sie sie ja nicht ausgewählt. Sagen Sie ihr also, was Ihnen
an ihr gefällt und worauf Sie gerade Lust haben. Sie will und
muss es hören, dass Sie sich von ihr angezogen fühlen.
Schon einige gut gewählte Worte ihres Partners führen bei
einer Frau dazu, dass »ich ganz feucht werde. Manchmal
macht er es über das Telefon, wenn ich im Büro bin. Er ist
wirklich unglaublich!« Eine andere Frau sagt, dass es sie
völlig um den Verstand bringt, wenn ihr Partner sagt: »Ich
möchte meinen Mund wieder dort hin tun, wo er letzten
Freitagabend war.«

Geheimtipp aus Lous Archiv

Die zwei größten Feinde der Intimität sind Müdigkeit und Zeitmangel.
Zu Anfang steht das intime Beisammensein in der Beziehung an
erster Stelle, aber später ist es plötzlich nicht mehr so wichtig – vor
allem, wenn Kinder da sind. Es ist im Grunde ganz einfach: Sie und
Ihre Partnerin müssen Ihre intime Beziehung (wieder) zur Priorität machen und ihr die entsprechende Aufmerksamkeit schenken.

Haben Sie ihr in letzter Zeit gesagt, welches ihrer Körperteile bei ihr Sie am meisten erregt? Ein Paar, das seit fünf Jahren verheiratet war und zwei Kinder hatte, kam in einem Seminar zu überraschenden Einsichten:»Ich liebe es, wie sich ihr Haar im Nacken kringelt, und ich mag die kleinen Grübchen über ihrem Po.« Seine Frau sagte dazu nur:»Du machst Witze … Die hasse ich«, doch er sagte:»Und ich liebe sie.« Und sie erwiderte: »Kein Wunder, dass du es so gern von hinten machst!« Mit rotem Kopf und unter lautem Lachen sagte er:»Ertappt!« Sie wurde besonders durch seine Hände erregt:»… weil du groß und stark bist. Ich betrachte sie einfach gerne und denke dabei daran, wie sie sich auf meinem Körper anfühlen.« Wenn sie erst einmal weiß, wie sehr Sie einen bestimmten Teil ihrer Anatomie mögen, sollten Sie sie oft und regelmäßig daran erinnern.

Tipps, die ihr helfen, sich zu entspannen

- Schaffen Sie einen Raum, wo sie sich entspannen kann. Frauen reagieren stark auf ihre Umgebung. Schaffen Sie eine Oase für sie – egal, ob dies im Schlafzimmer, im Wohnzimmer, draußen auf der Terrasse oder im Badezimmer ist. Setzen Sie Beleuchtung, Duft oder eine andere sinnliche Stimulation ein, um zu zeigen, dass der Arbeitstag zu Ende und die Zeit zum Entspannen gekommen ist.
- Bevor Sie zur Tür hereinkommt, lassen Sie ein Bad für sie ein. Zünden Sie Kerzen oder Räucherstäbchen an, helfen Sie ihr, sich auszuziehen, und setzen Sie sich neben sie, während sie badet, damit Sie an dieser entspannenden Zeit teilhaben können. Seifen Sie sie zärtlich ein oder massieren Sie ihren Rücken mit einem Luffaschwamm. Vielleicht könnten Sie ihr ein Glas Wein oder ein kühles Glas Wasser servieren. Eine Kinderbuchillustratorin aus New Jersey erinnerte sich: »Ich wusste, dass ich den Richtigen gefunden hatte, als mein

Mann mir zum ersten Mal ein Bad einließ und mich badete. Da beschloss ich, ihn nicht mehr gehen zu lassen. Bis auf den heutigen Tag wäscht er mir noch immer gerne die Haare.« Das Verführerische an diesen kleinen Gesten besteht für Ihre Partnerin hier darin, dass Sie bereits an sie gedacht haben, bevor sie nach Hause gekommen ist. Jede Frau will spüren, dass ihr Partner sich um ihre körperlichen und mentalen Bedürfnisse kümmern wird, und jede Frau möchte hören, dass sie etwas Besonderes ist und geschätzt wird.

• Nach dem Bad fragen Sie sie, ob Sie sie abtrocknen dürfen. Sie können ihr auch anbieten, sie mit Feuchtigkeitslotion einzureiben. Frauen wünschen sich jede Menge Aufmerksamkeit – lassen Sie sich etwas Schönes einfallen!

Fesseln Sie all ihre Sinne

Durch das Wecken ihrer fünf Sinne – Sehen, Riechen, Schmecken, Hören und Fühlen – führen Sie Ihre Partnerin einen Schritt näher an das zweite Element des Vorspiels heran: die Erregung ihres Körpers. Denn ihre Sinne sind die Brücke, über die ihr Geist mit ihrem Körper verbunden ist. Nachdem Sie sie auf romantische Art umworben und für die Entspannung ihres Geistes gesorgt haben, ist es an der Zeit, ihren Körper zu verwöhnen. Ein Steuerberater aus Chicago sagte: »Ich möchte möglichst viele ihrer Sinne ansprechen – am liebsten alle.« Locken und fesseln Sie ihre Sinne, und sie wird Wachs in Ihren Händen sein.

Sehen

Im Grunde sind wir Augenmenschen. Das Sehen ist einer unserer stärksten Sinne, weil wir uns auf ihn am meisten verlassen. Männer sagen immer wieder, dass sie es mögen, wie eine Frau ein Heim oder eine einladende Umgebung schafft. Warum sollten Sie also dieses Wissen nicht nutzen und dasselbe für sie tun? Indem Sie einen besonderen, kuscheligen Raum schaffen, werden Sie bei ihr sicherlich Punkte machen.

Die optische Wirkung Ihres Liebesnests kann eine wunderbare Wirkung auf sie haben. Daher ist es für Sie von Vorteil, wenn Sie in Ihrem Zimmer, Ihrer Wohnung oder Ihrem Haus für Ordnung und Sauberkeit sorgen. Bitten Sie eine Lady nicht darum, in einem ungemachten oder bereits benutzten Bett zu schlafen. Und Kleidungsstücke, die auf dem Boden und dem Bett verstreut herumliegen oder über die Nachttischlampe drapiert sind, werden sicher nicht als moderne Kunst betrachtet – glauben Sie mir. Ihre Partnerin wird denken, dass Sie die mentale Reife eines Studenten oder Schülers haben. Damit eine Frau fühlt, dass sie etwas Besonderes ist, laden Sie sie in eine schöne, ordentliche Wohnung ein, die zeigt, dass Sie sich Mühe für sie geben.

Hilfreiche Tipps, die die Augen ansprechen:

- Gedämpftes Licht schmeichelt – Ihnen beiden.
- Wenn Sie sie verführen wollen, stellen Sie eine kleine Vase mit einer einzelnen Blume entweder neben das Bett oder an eine Stelle, die vom Bett aus sichtbar ist. Dies kann eins Ihrer Signale sein, dass der heutige Abend etwas Besonderes ist.
- Ein Rat für Singles: Wenn Sie in Ihrem Zimmer Fotos haben, sorgen Sie dafür, dass sie keine ehemaligen Freundinnen zeigen – das könnte alles verderben.

Riechen

Menschen werden durch bestimmte Gerüche entweder stark angezogen oder extrem abgestoßen, deshalb hat dieser Sinn gerade in Sachen Sex besondere Aufmerksamkeit verdient. Der Geruchssinn ist einer unserer primitivsten Sinne mit dem längsten Gedächtnis. Es ist durchaus möglich, dass Sie noch immer von bestimmten Gefühlen übermannt werden, wenn Sie einen gewissen Duft riechen, der Sie an eine frühere Partnerin erinnert. Vielleicht haben Sie ihr Gesicht oder ihren Namen vergessen, aber Sie erinnern sich noch genau an ihr Parfüm. Denken Sie daran, meine Herren, dass die Chemie Ihres Körpers Ihr größter Vorteil sein kann. Sie haben einen ganz eigenen Duft, der dafür sorgt, dass manche Menschen Sie unwiderstehlich finden. Für manche Frauen ist der Geruch eines Mannes das beste Aphrodisiakum. Eine Frau berichtete: »O Gott, sein Geruch war einfach Wahnsinn. Es war nicht sein Eau de Toilette; es war der Duft seines Nackens. Er reichte aus, um mich in Ekstase zu versetzen.«

Geheimtipp aus Lous Archiv

Der weibliche Geruchssinn ist viel stärker ausgeprägt als der männliche, und vielleicht merken Sie selbst gar nicht, welcher Geruch Sie umgibt. Eine Lösung besteht darin, regelmäßig zu baden und an den wichtigen Stellen Seife zu benutzen.

Andererseits schwitzen Männer mehr als Frauen und sollten sehr auf Körperhygiene achten, wenn sie mit einer Frau zusammen sind. Die Drüsen in den Achselhöhlen und in der Leistengegend geben einen dickeren und stärker riechenden Schweiß ab. Wenn dieser Schweiß mit den normalen Körperbakterien in Kontakt kommt, entsteht ein scharfer Körpergeruch. Damit die Partnerin dadurch nicht abgestoßen wird, sollten Sie häufig duschen und ein Deo verwenden. Frauen werden vom natürlichen Körperduft des Mannes angezogen, aber dieser sollte nicht mit unangenehmem Körpergeruch verwechselt werden.

Geheimtipp aus Lous Archiv

Es gibt Männer, die allein aufgrund ihres Dufts für Frauen unwiderstehlich sind. Eine Frau drückte es so aus: »Ich inhalierte den Geruch meiner Kissen, wenn er die Nacht bei mir verbracht hatte. Und wenn er nicht da war, zog ich nachts einen seiner alten Pullover an. Das erregte mich und war gleichzeitig beruhigend.«

Da die meisten Frauen stark auf Gerüche reagieren, könnten Sie sie mit Hilfe der Aromatherapie verführen. Der Begriff Aromatherapie, der im 19. Jahrhundert von einem Chemiker namens R.N. Gattefosse geprägt wurde, steht für »den therapeutischen Einsatz von Riechsubstanzen, die aus Blumen, Pflanzen und aromatischen Sträuchern gewonnen werden, durch Inhalation und das Auftragen auf die Haut.« Diese natürlichen Düfte sind als ätherische Öle zum direkten Auftragen auf die Haut, als Badezusatz oder in Kerzen erhältlich. Jeder Duft wirkt auf einen anderen Körper- oder Empfindungsbereich der Frau.

Aromen tragen zur Entspannung der Partnerin und zur Erhöhung ihres sexuellen Vergnügens bei. Valerie Ann Worwood schrieb in ihrem Buch *Scents and Scentuality*, dass ätherische Öle *direkt* von den Geruchsrezeptoren aufgenommen werden und sich sofort auf die emotionalen Zentren des Gehirns auswirken.

Duftöle können auf verschiedene Weise eingesetzt werden:
- Sie können auf eine große Kerze geträufelt,
- ins Badewasser gegeben,
- mit einem Massageöl vermischt,
- in eine spezielle Öllampe gefüllt
- oder vorsichtig auf eine Glühbirne getropft werden.

Tipps, die die Nase ansprechen

- Fragen Sie die Frau Ihrer Träume, ob ihr Ihr Aftershave oder Eau de Toilette gefällt. Wählen Sie einen Duft, der Sie anzieht.
- Ist Ihre Bettwäsche sauber? Sie sind sich Ihres eigenen Geruchs möglicherweise nicht bewusst, und auch wenn sie ihn mag, ist es am besten, das Bett regelmäßig neu zu beziehen.
- Überprüfen Sie Ihre Waschmittel. Einige Markenprodukte haben einen sehr intensiven Duft, der nicht unbedingt angenehm ist. Vielleicht könnten Sie ein Waschmittel verwenden, das geruchsneutral ist.
- Überprüfen Sie Ihr Deo. Funktioniert es? Ist der Geruch zu stark oder gerade richtig?
- Bei der Verwendung von ätherischen Ölen in irgendeiner Form, sollten Sie sichergehen, dass Sie diese nie auf die Genitalien Ihrer Partnerin oder auf die Ihren auftragen.

Schmecken

Wie wir schmecken und welchen Geschmack wir mögen, ist ganz individuell und verschieden. Doch das Kitzeln unserer Geschmacksknospen kann tatsächlich unser Verlangen anregen. Haben Sie jemals probiert, sie zu füttern? Im Bett? Oder sie darum gebeten, Sie zu füttern? Mit Weintrauben kann man ungeheuer viel Spaß haben und wenn sie mal herunterfallen, ist das nicht weiter schlimm. Folgende Nahrungsmittel gelten als besonders erotisch:

Erdbeeren – Als ganze Frucht, in Schokolade oder eine Mischung aus saurer Sahne und braunem Zucker getaucht, haben sie eine extrem verführerische Wirkung!

Feigen – Wählen Sie frische, pralle Feigen, deren daunenweiche Oberfläche sie an Ihre Hoden erinnern könnte. Wer weiß, vielleicht gehen Sie ja in Zukunft dazu über, zu einer erotischen Verabredung Feigen statt eine Flasche Wein mitzubringen.

Weintrauben – Diese köstlichen kleinen Früchte machen wirklich viel Spaß. Nehmen Sie eine in den Mund und bitten Sie Ihre Partnerin, davon abzubeißen.

Pflaumen – Sie schmecken am besten im Sommer. Diese saftigen süßen Früchte verwöhnen jeden Gaumen.

Schokolade – Bitter-, Vollmilch- oder weiße Schokolade in jeder beliebigen Kombination. Diese sinnliche, zartschmelzende Süßigkeit enthält Phenethylamin, einen Stoff, der vom Gehirn ausgeschüttet wird, wenn Menschen sich verlieben.

Oliven – Wenn sie mit Paprika oder einer Mandel gefüllt sind, könnte Ihre Partnerin die Füllung herauslutschen, während Sie die Olive im Mund halten.

Austern – Roh natürlich, weil sie so erotisch sind und den weiblichen Genitalien ähneln. Sie enthalten außerdem viel Zink, ein wichtiges Mineral, das zur Stärkung der männlichen Potenz beiträgt.

Nüsse – Mandeln, Paranüsse, Cashewnüsse.

Käse – Manche bevorzugen einen Hartkäse wie Jarlsberg, andere einen weichen Brie oder Camembert.

Getränke – Wein (Rotwein passt übrigens sehr gut zu Schokolade), Champagner, Saft, gekühltes Wasser (still oder mit Kohlensäure).

Geheimtipp aus Lous Archiv

Zu Zeiten des englischen Dichters Chaucer war das Wort »Muschel«
ein unanständiges Synonym für Vulva.

Tipps, die die Geschmacksnerven ansprechen:

- Mund- und Körperhygiene ist eine Grundvoraussetzung für
  Liebende.
- Bieten Sie nicht *zu* viele verschiedene Geschmacksrichtun-
  gen an, da ihre Geschmacksnerven dadurch überfordert
  werden könnten. Weniger ist hier mehr – schließlich soll der
  Geschmack nur angeregt werden.
- Beachten Sie bei der Wahl eines Getränks eine Grundregel:
  Es sollte den Geschmack des Essens nicht überdecken.

Hören

Bitte entschuldigen Sie, dass ich mich wiederhole, aber ich
möchte Sie noch einmal daran erinnern, dass Frauen wunderbar
über die Ohren verführt werden können. Sie können dies mit
zärtlichen Worten erreichen, aber es gibt auch subtilere Möglichkeiten. Wussten Sie, dass in guten Geschäften für Damen-
oberbekleidung im Hintergrund leise, melodiöse Musik gespielt
wird, um eine entspannte, genüssliche Atmosphäre zu schaffen,
in der sich die Käuferin wohl fühlt und gern Geld ausgibt?
Wenn Sie einen romantischen Abend planen und für eine
sinnliche und entspannende Atmosphäre sorgen wollen, sollten Sie Musik dazu nutzen. Vielleicht möchten Sie beide der
Musik nicht aufmerksam zuhören, sondern sie nur als Unter-
malung im Hintergrund genießen. Alle Arten von Instrumentalmusik haben eine beruhigende Wirkung – selbst Beethovens
Fünfte. Musik ohne Worte ermöglicht es dem Gehirn, sich zu

zerstreuen, Gedanken gehen zu lassen und die Außenwelt zu vergessen.

Geheimtipp aus Lous Archiv

Wenn Ihr Anrufbeantworter in Hörweite Ihres Schlafzimmers steht, reduzieren Sie die Lautstärke, und wenn Sie ein Telefon neben dem Bett
stehen haben, stellen Sie den Klingelton ab. Nichts verdirbt die Stimmung mehr als ein klingelndes Telefon oder die Stimme Ihrer Mutter
auf dem Band.

Wenn Sie sich mit Instrumentalmusik nicht auskennen, sollten Sie sich einfach mal in den Abteilungen für Klassik und Jazz im nächsten Musikladen umsehen. Wenn Sie einander schon näher kennen, liegen Sie mit Barry White, dem Meister der Verführung, und Marvin Gaye immer richtig. Sie sollten Barry oder Marvin aber wirklich nur dann spielen, wenn Sie Ihre Partnerin verführen wollen. Hier einige Vorschläge für diejenigen unter Ihnen, die es lieber etwas langsamer angehen möchten:

Phillip Aaberg, *Out of the Frame* (New Age)
Enya, *Watermark* (zeitgenössischer Gesang)
Kenny Rankin, *The Kenny Rankin Album*
(zeitgenössischer Gesang)
Keith Jarrett, *Arbour Zena* (New Age Jazz)
John Barry, *Moviola* (zeitgenössische Komponisten)
Windham Hill Retrospective (New Age)
Verve Jazz Round Midnight-Serie mit Chet Baker,
Billie Holiday und Ben Webster (Jazz)

Ein dekorativer Zimmer-Springbrunnen ist eine weitere Möglichkeit, bei ihr über das Hören für Entspannung zu sorgen.

Natürlich müssen Sie keinen Brunnen von der Größe des Trevi-Brunnens mitten in Ihrem Wohnzimmer aufbauen. Die dekorativen Brunnen, die ich meine, sind klein und passen leicht auf einen Lautsprecher, einen Tisch oder ins Bücherregal. Einige Frauen und Männer haben mir berichtet, dass das Geräusch von plätscherndem Wasser im Hintergrund Spannungen reduziert, Urlaubsstimmung zaubert und den Appetit auf Sex anregt.

Tipps, die die Ohren ansprechen

- Spielen Sie leise Musik.
- Wählen Sie Musik, die einen langsamen Rhythmus hat, und steigern Sie allmählich den Takt bis zur Ekstase.
- Fragen Sie sie, ob sie eine bestimmte Art von Musik besonders gerne hört.
- Schlagen Sie vor, gemeinsam Musik auszuwählen.

Fühlen

Nach dem Erwecken ihrer vier anderen Sinne, kommen wir zum Fühlen. Der fünfte Sinn ist damit die letzte Brücke vom Geist zum Körper. Vielleicht ist Ihnen schon aufgefallen, dass Frauen sich oft wie Katzen bewegen, wenn sie gestreichelt werden und sich in Ihren Armen aalen oder um Ihren Körper schlingen. Berührungen sind nicht nur die beste Art der Entspannung, sondern auch die einfachste Möglichkeit, eine emotionale Bindung aufzubauen. »Ich bin eine knallharte Geschäftsfrau, aber es reicht schon aus, wenn mein Mann mich in der Öffentlichkeit sanft am Arm oder am Rücken berührt, wenn er von hinten auf mich zukommt. Seine Berührung hat einfach etwas Sinnliches für mich. Und er setzt diese unsichtbaren Signale ein: ›Lass uns gehen‹, oder ›Können wir allein sein?‹ Dazu drückt er sanft meine Hand.«

Im nächsten Kapitel werden wir vom Kopf Ihrer Partnerin auf ihren Körper übergehen. Wenn Sie beginnen, ihren Körper zu erforschen, sollten Sie auf Signale achten, die zeigen, dass sie sich entspannt: Hat sich ihre Atmung verändert? Ist sie tiefer geworden? Langsamer? Meine Herren, denken Sie immer daran: Nur wenn sie entspannt ist, wird sie sich in Ihren Armen ganz hingeben.

Kapitel 4

Erwecken Sie ihre erogenen Zonen

Eine aufregende Reise über ihren ganzen Körper

Romantik und Entspannung bringen Ihre Partnerin in Stimmung, und in dieser zweiten Phase des Vorspiels wird diese Stimmung genutzt, um sie gefühlsmäßig in die Stratosphäre zu katapultieren. Jetzt ist es an der Zeit, ihren Körper aufzuladen, die sexuelle Stimulierung langsam aufzubauen. Eine Frau erklärte, dass ihr Mann, was das Vorspiel betrifft, ein wahrer Zauberer ist: »Er hat wirklich den Bogen raus, wenn es darum geht, das Vorspiel bereits vierundzwanzig Stunden vorher zu beginnen. Er hinterlässt kleine Hinweise, was er gerne machen möchte, welche Körperteile er bei mir schmecken möchte, wo er mich lieben will. Er schreibt diese Dinge auf Post-its, die er in meinen Terminkalender klebt.«

Um Ihre Partnerin mental in Stimmung zu bringen, müssen Sie ihr das Gefühl geben, etwas Besonderes zu sein, aber auch für ihre körperliche Erregung ist Ihre ganze Aufmerksamkeit erforderlich. Wenn sie das Gefühl hat, dass Sie sich ganz auf den Augenblick und auf sie konzentrieren, dass sie ihr jeden Gefallen tun wollen, wird sie sich wie eine Blume in der Mittagssonne öffnen. Und werden *Sie* nicht dadurch erregt, wenn sie all ihre Hemmungen verliert und sich Ihnen ganz hingibt?

Ein Investment-Banker aus New York erinnerte sich: »Das erste Mal, als meine Freundin sich wirklich hingab und mir erlaubte, ihre Seele zu berühren, war einfach fantastisch. Ich erlebte ihren Körper und seine Reaktionen auf mich auf einer ganz anderen Ebene. Ich habe noch nie eine solche tiefe Bindung zu einer anderen Frau erlebt, und das ist wohl der Grund, warum wir immer noch zusammen sind. Es war fantastisch und brachte fast mein Herz zum Stillstand.«

Geheimtipp aus Lous Archiv

Sie müssen nicht im selben Zimmer sein, um mit dem Vorspiel zu beginnen, ja, es muss nicht einmal derselbe Tag sein.

Eine Fotografin aus Washington, D.C., erzählte mir Folgendes: »Mein früherer Freund brachte praktisch die Welt zum Stillstand, wenn wir uns liebten. Er trug dann immer so ein gewisses Lächeln zur Schau und schloss die Haustür ab. Seine Aufmerksamkeit mir gegenüber war ungeheuer intensiv, und das war es, was mich so erregte. Alles, was ich zu erledigen hatte, spielte praktisch keine Rolle mehr. Es war egal, ob ich in dreißig Minuten zur Arbeit musste. Ich frisierte mich dann eben im Auto.«

Ich möchte auf zwei Dinge hinaus: Wenn Ihre Partnerin nicht entspannt ist und sich nicht wohl fühlt, wird sie durch nichts, was Sie tun, wirklich erregt werden. Aus diesem Grund habe ich im letzten Kapitel so ausführlich dargestellt, wie Sie für eine romantische und relaxte Stimmung sorgen können. Nun ist es an der Zeit, sich ihrem Körper zu widmen, und das bedeutet Küssen, Streicheln und Necken.

Ich habe Frauen oft sagen hören, dass Sie das Gefühl haben, ihr Partner berühre sie nur, wenn er Lust auf Sex hat. Und selbst wenn dies letztendlich Ihr Ziel ist, meine Herren, kommen Sie viel weiter, wenn nicht jede Berührung auf Sex drängt. Ehrlich. Tut mir Leid, wenn ich wie eine Schallplatte klinge, die einen Sprung hat, aber ich höre diesen Kommentar immer wieder von den Frauen in meinen Seminaren. So sagte eine Frau: »Ich liebe ihn und möchte mit ihm zusammen sein, aber warum muss jede Berührung mit Sex zusammenhängen? Manchmal, wenn er mich einfach nur auf den Kopf küsst oder mich im Vorbeigehen umarmt, fühle ich mich so geliebt. Ich fühle mich dann auch viel *offener* für Erotik.« Ein Mann drückte es so aus: »Man muss kein Genie sein, um zu wissen, dass man erst durch Einbeziehung des ganzen Körpers erfährt, wie sie am liebsten berührt werden möchte.«

Geheimtipp aus Lous Archiv

Je mehr ein Mann mit einer Frau auf nicht-sexuelle Weise Kontakt hat, desto empfänglicher wird sie für ihn sein.

Küssen Sie sie

Für die meisten Frauen gibt es nichts Schöneres als die sinnliche Macht eines Kusses. Egal, ob dieser Kuss feucht, kühl, kurz oder lang ist, kann er die Macht haben, der Dame ihres Herzens weiche Knie zu bescheren. Aus meinen Beobachtungen in den Seminaren für Frauen würde ich sagen, dass das Küssen Aufschluss über Ihr Können als Liebhaber gibt. Eine Grafikerin aus Florida meinte: »Es sind seine Küsse, die meinen Motor in Schwung bringen. Alle Berührungen der Welt können mich nicht so intensiv erregen wie seine Küsse.« Eine andere Frau erinnerte sich an einen alten Freund: »Er liebte mich und ich liebte ihn, aber mit unserer sexuellen Chemie klappte es nie, weil ich seine Art zu küssen absolut nicht mochte und er mir nie zuhörte, wenn ich ihm sagen wollte, wie ich geküsst werden möchte.« Aber auch Männer sind sich der Macht des Küssens bewusst. So sagte ein Seminarteilnehmer: »Ich empfinde intensives Küssen während des Vorspiels als sehr sexy und erregend.«

Die meisten unter uns erinnern sich sicherlich an die tollen Kussmarathone, als wir noch jünger waren. Der Grund, warum diese Küsse so toll waren, besteht darin, dass sie genau dafür sorgten, wozu das Küssen eigentlich dienen soll – sich und den anderen »heiß« zu machen. In lang bestehenden Beziehungen ist es ganz normal, dass man vergisst, wie wunderbar das Küssen sein kann. Man hört einfach aus Gewohnheit damit auf, sich so aufregend und intensiv zu küssen. Aber glauben Sie mir: Mit dem Küssen ist es wie mit dem Fahrrad fahren – man verlernt es nie.

Geheimtipp aus Lous Archiv

Manche Frauen mögen es, wenn Sie ihre Zunge beim Küssen leicht in Ihren Mund saugen, anderen missfällt dies. Es ist immer angebracht zu fragen, was sie mag und was es bei ihr bewirkt, und auf ihre Signale zu achten. Warnung: Spielen Sie bitte nicht den menschlichen Staubsauger beim Küssen.

Wenn Sie eine Frau genau so küssen können, wie sie es sich wünscht, haben Sie Ihr Ziel schon halb erreicht, und es wird sicherlich nicht lange dauern, bis sie in Ihre Arme fällt und unter Ihren Lippen dahinschmilzt. Küssen Sie mit Gefühl und Leidenschaft. Auf diese Weise zeigen Sie Ihre ganze Liebe und Intimität. Eine Architektin aus Coral Gables in Florida berichtete: »Ich hatte immer von diesen tollen Küssen gehört, die einen praktisch zum Wahnsinn treiben, und dachte mir, dass sie wie ein mehrfacher Orgasmus sein müssten. Und dann lernte ich Stuart kennen. Ich kann nur sagen: Wenn er mich küsste, verlor ich total die Kontrolle über mich. Ich kann mich nicht einmal mehr daran erinnern, was genau er tat, das mich zu solchen Höhenflügen brachte. Doch, an eine Sache kann ich mich erinnern: Er saugte dabei sanft mit seinen Lippen und noch heute werde ich ganz feucht, wenn ich daran denke.«

Jeder Mensch hat seine ganz eigene Art zu küssen. Manchmal verändert sich unser Stil mit unserer Stimmung oder mit dem Wetter. Auf jeden Fall ist Abwechslung wichtig. Sie könnten beispielsweise zu Ihrer Partnerin sagen: »Küss mich doch bitte so, wie du von mir geküsst werden möchtest.« Wenn sie am Rand Ihres Munds herumknabbert oder an Ihrer Unterlippe saugt, sollten Sie unbedingt fragen, ob Sie dasselbe bei ihr machen sollen.

Hier einige Tipps für sinnliche Küsse:

- Einer Frau mit sinnlicher Unterlippe gefällt es wahrscheinlich, wenn Sie sie langsam und sanft in Ihren Mund saugen.
- Probieren Sie, mit der gekrümmten Zungenspitze an der Innenseite ihrer Oberlippe entlang zu fahren. Die Unterseite Ihrer Zunge berührt dabei ihre Zähne.
- Saugen Sie beide gegenseitig an Ihren Zungen. »Er hatte eine ganz gewisse Art, an meiner Zunge zu saugen. Er tat es langsam, dann küsste er mich, dann tat er es wieder, mal saugte er meine Zunge ganz ein, mal nur die Spitze ...«
- Bitte drücken Sie nicht Ihre ganze Zunge in den Mund Ihrer Partnerin – es sei denn, sie mag das. Eine Frau sagte, sie hatte dabei das unangenehme Gefühl, dass »er mir seine Zunge bis in den Rachen schob«.
- Achten Sie beim Küssen auf Ihre Lippen. Wenn sie zu locker sind, fühlt sich das für sie schlabberig an.
- Küssen Sie nicht wie ein Specht, indem Sie Ihre spitze, steife

Zunge hektisch in ihren Mund hineinschieben und wieder herausziehen, was nicht im Entferntesten an einen echten Zungenkuss erinnert.

• Es ist am besten, sich nach der Igelstrategie und nicht nach der des Hasen zu richten. Was die Geschwindigkeit angeht, gewinnen Sie mit langsamem und intensiven Küssen das Rennen.

Geheimtipp aus Lous Archiv

In einer 1936 veröffentlichten Broschüre hieß es, dass Küssen zu einer Schwangerschaft führen kann – nur indirekt, wie wir heute wissen, aber dennoch wirkungsvoll.

Küsse

Der Zungenkuss. Beim Zungenkuss handelt es sich wohl um den bekanntesten Kuss überhaupt. Ein guter Zungenkuss kann Stunden dauern. Rhythmus ist dabei alles. Sie müssen den Rhythmus wechseln, an ihrer Zunge saugen und mit Ihrer Zunge langsam in ihrem Mund herumfahren. Achten Sie darauf, dass Sie nicht zu stark an Ihrer Zunge saugen oder Ihre Zunge zu spitz machen (Sie sind ja kein Specht).

Die Ohnmacht. Ich habe mir in den Seminaren sagen lassen, dass eine der für Frauen verführerischsten Arten, geküsst zu werden, so aussieht, dass der Mann vor ihr steht und ihren Kopf sanft mit seinen Händen umfasst, sodass sie ihn entspannt in seine Hände legen kann.

Der Kuss an der Wand. Manchmal sind dies die heißesten Küsse, da sie am drängendsten und heftigsten sind. Sie können Ihren Körper an den ihren lehnen, während sich Ihre Arme zu beiden Seiten ihres Körpers an die Wand stützen, oder sie kann sich an Sie lehnen.

Die Treppe. Diese Position ist ideal, wenn Sie sich beim Küssen in die Augen schauen wollen und unterschiedlich groß sind. Ihr könnte diese Position auch gefallen, wenn sie den Mann gern mal überragen möchte. Ein Mann erzählte dazu: »Als wir uns am Abend unserer ersten Verabredung mit einem Kuss voneinander verabschiedeten, schaute meine Freundin zu mir auf und sagte: ›Ich möchte etwas ausprobieren.‹ Sie ging zur Treppe und stellte sich so hin, dass wir auf gleicher Augenhöhe waren, und dann sagte sie: »Gut, ich wollte nur für gleiche Bedingungen sorgen. Und dann küsste sie mich. Die Tatsache, dass sie die Initiative übernahm, erregte mich ungemein.«

Die Karte für einen Kuss Ihrer Wahl. Mit einer solchen Karte, die der Monopoly-Karte ›Sie kommen aus dem Gefängnis frei‹ ähnelt, können Sie Ihr Liebesleben spontaner gestalten. Da sie nie ungültig wird, können Sie sie irgendwo hinlegen, verschicken oder persönlich überbringen. Die Karte kann auch einen ganz speziellen Kuss einfordern.

Der Nicht-auf-den-Mund-Kuss. Setzen Sie Ihre Lippen überall ein und küssen Sie sie am ganzen Körper. Ihr Körper ist ein verzauberter Wald, in dem Sie sich verlaufen möchten, und der viel unerforschtes Gebiet zu bieten hat. Sie könnten ihre Armbeuge küssen, die Schultern, den Po, die Kniekehlen, die Achselhöhlen und viele andere empfindsame Stellen.

Geheimtipp aus Lous Archiv

Küssen ist der sicherste Weg, die Dame Ihres Herzens in Fahrt zu bringen.

Der französische Kuss. Viele Frauen lieben auch den genitalen Kuss. So berichtete ein Herr in einem meiner Seminare: »Ich küsse eine Frau gerne dort unten, dann ihre Brustwarzen oder irgendeine andere Stelle und kehre dann zu ihrem Mund

zurück.« Für manche Frauen ist die Tatsache, dass Sie sie gern
schmecken, ein besonderes Zeichen der Liebe – und eines der
stärksten Aphrodisiaka überhaupt.

Der Handkuss. Dabei handelt es sich um eine der besonders
anmutigen Formen höflichen Verhaltens. Wenn sie Ihnen ihre
Hand zum Gruß hinhält, ergreifen Sie sie leicht, so, als ob Sie
sie einfach nur schütteln wollten. Dann drehen Sie ihre Hand
herum und küssen die Mitte des Handrückens, wobei Sie darauf achten, dass Ihre Lippen trocken sind. Der Kuss sollte etwa
zwei Sekunden lang dauern, bevor Sie ihre Hand wieder los-
lassen. Eine Frau hatte dazu Folgendes zu berichten: »Wir hatten am Abend unserer zweiten Verabredung gerade den Wein
bestellt. Als der Ober gegangen war, wandte sich mein Freund
zu mir und sagte: ›Das wollte ich schon den ganzen Abend
tun.‹ Er nahm ganz sanft meine linke Hand, hob sie an seine
Lippen und küsste sehr zärtlich und langsam meinen Handrücken. Er hätte wirklich nichts Verführerischeres tun können.«

Geheimtipp aus Lous Archiv

Frauen haben mir berichtet, dass Männer, die nicht gerne küssen, oft
Probleme mit den Nebenhöhlen oder eine verstopfte Nase als Grund
angeben. Da das Küssen aber die beste Möglichkeit ist, eine Frau zu
erregen, sollten Sie ein Schnupfenspray benutzen, wenn Sie unter solchen Problemen leiden. In extremen Fällen kann eine Operation wegen
einer schiefen Nasenscheidenwand erforderlich sein.

Streicheln Sie sie

Hier kehren wir zum fünften Sinn zurück. Wenn Sie ihren Körper liebkosen, sollten Sie keine Stelle auslassen. Ein Mann, der
seine Partnerin regelmäßig am ganzen Körper massiert, sagte:

»Ich weiß, dass ich meine Sache gut gemacht habe, wenn sie fast eingeschlafen ist oder böse wird, wenn ich aufhöre.«

Natürlich ist jede Frau anders, und Sie sollten sich auch hier an das Grundprinzip halten und immer erst fragen, was ihr gefällt. Wichtig ist, dass Sie ihren ganzen Körper lieben und es genießen, ihn zu streicheln. Eine Frau meinte: »Ich hatte das Gefühl, eine Maschine mit beweglichen Teilen zu sein. Er berührte A, dann B, dann C, und dann sollte ich bereit zum Sex sein. Es war furchtbar. Schließlich bin ich kein Gerät, das man mit der Fernbedienung steuert.« Der Schlüssel für ein kunstvolles Vorspiel liegt in Ihrem Vergnügen daran, ihren Körper zu bereisen, ihn zu streicheln und sich dabei absichtlich von den so genannten »Aktionspunkten« (d.h. ihren Genitalien) fern zu halten.

Sie sollten auch daran denken, dass die meisten Menschen einen anderen so berühren, wie sie selbst gerne berührt werden möchten. Doch oft besteht ein Unterschied zwischen der Berührung, die ein Mann mag, und den Vorlieben einer Frau. Männer bevorzugen einen tieferen, kräftigeren Druck, während Frauen eher auf leichteren, sanfteren Druck reagieren. Warum? Die männliche Haut ist aufgrund des männlichen Hormons Testosteron weniger empfindsam. Daher könnten Berührungen, die bei Ihnen angenehm ist, zu fest für Ihre Partnerin sein und ihr sogar wehtun.

Geheimtipp aus Lous Archiv

Die Faszination der erogenen Zonen des weiblichen Körpers ist nichts Neues. Eine Miniatur aus Indien aus dem 18. Jahrhundert zeigt die erogenen Stellen der Frau. Damals glaubte man, dass sich diese Stellen jeden Tag während des Mondmonats ändern.

Meine Herren, ich weiß, dass Sie grundsätzlich nicht gerne nach dem Weg fragen oder sich sagen lassen, wo es lang geht. Aus diesem Grund zeichne ich für Sie im Folgenden eine Landkarte des weiblichen Körpers. Wie ich von den Männern in meinen Seminaren weiß, sind Landkarten und Reiseführer die Lieblingslektüre von Männern. Ich werde hier ganz systematisch vorgehen und »im Norden«, mit dem oberen Bereich des weiblichen Körpers, beginnen und von dort »nach Süden« reisen. Zu jeder Region erhalten Sie erotische Hinweise und Tipps.

Der Kopf

Die meisten Frauen genießen eine Kopfmassage und mögen es, wenn man ihr Haar berührt, damit spielt und sich daran freut. Erinnern Sie sich, wie sich eine gute Kopfmassage anfühlt? Massieren Sie mit leichtem Druck Ihrer Fingerspitzen ihre Kopfhaut. Am besten an einem Abend, an dem Sie nicht ausgehen und es ihr nichts ausmacht, dass ihr Haar dabei verwuschelt wird.

Sie können auch Ihre Fingerspitzen oder eine Haarbürste vorsichtig und langsam durch ihr Haar ziehen. Wenn Sie eine Tochter oder Schwester haben, der Sie schon einmal das Haar gebürstet haben, sind Sie hier möglicherweise im Vorteil. Obwohl der Bürstenstrich gerade und nach unten erfolgen kann, können Sie den Bürstenstrich raffiniert variieren, indem Sie einen Strich nach unten durchführen, der wie bei einem J dann etwas zur Seite geht. Denken Sie daran, den ganzen Kopf zu bürsten und nicht nur den hinteren Bereich. Sie könnten Ihre Partnerin auch bitten, Ihnen zu zeigen, wie Sie sich selbst das Haar bürstet. Auf diese Weise können Sie beobachten, wie sie die Stellen und die Stärke der Bürstenstriche variiert.

Tipps

- Spielen Sie zärtlich mit ihrem Haar im Nacken, heben Sie es an und küssen Sie die weiche Haut darunter.
- Nehmen Sie sie in die Arme und lassen Sie sie Ihren warmen Atem auf ihrer Kopfhaut spüren; dieses Gefühl wird von ihr tief empfunden.
- Wenn Sie ihr bei einem Spaziergang den Arm um die Schultern legen, spielen Sie sanft mit ihrem Haar – ohne es zu zerzausen.

Geheimtipp aus Lous Archiv

Nach Angaben eines Friseurs hat eine Frau umso mehr Schamhaar, je dichter ihr Haar im Nacken ist. Diese Theorie ist wissenschaftlich aber nicht bewiesen.

Das Gesicht

Das Berühren des Gesichts ist eine sehr zärtliche, intime Geste, und damit sie so sinnlich wie möglich wird, schauen Sie Ihrer Partnerin dabei tief in die Augen. Achten Sie darauf, ob Ihre Partnerin Make-up trägt. Wenn sie Make-up aufgetragen hat, bitten Sie sie, es vorher zu entfernen. Dann setzen Sie den Handrücken oder die Finger ein, um leicht die Seite ihres Kiefers zu streicheln, über ihre Wangenknochen oder ihre Stirn zu fahren und dann über ihren Hals. Glauben Sie mir – Frauen vergessen nie, wie sie berührt werden.

Tipps

- Fahren Sie mit Ihren Fingern um ihre Lippen herum. Schließen Sie beide Ihre Augen und berühren Sie sich gegenseitig auf diese Weise.
- Bitten Sie sie, an Ihrem Finger zu saugen, wenn er sich in der Nähe ihres Mundes befindet. Eine interessierte Dame wird Ihnen an Ihrem Finger zeigen, was ihre Zunge noch so alles kann, und Sie können dies als Vorspiel für den Einsatz Ihrer Zunge an anderer Stelle verstehen.
- Spielen Sie ein Spiel, bei dem Sie beide mit geschlossen Augen den Partner nur *neben* den Mund küssen dürfen. Bei einer Berührung mit der Nase haben Sie verloren.

Die Ohren

Erinnern Sie sich, dass man an den Berührungen durch die Partnerin ablesen kann, wie sie selbst gerne berührt werden möchte? Die Art und Weise, wie eine Frau auf die Liebkosung ihrer Ohren reagiert, ist ein perfektes Beispiel dafür, wie sich Frauen und Männer voneinander unterscheiden. So meinte ein Seminarteilnehmer: »Wenn eine Frau ihre Zunge in mein Ohr steckt, bekomme ich gleich weiche Knie.«

Die Mehrheit der Frauen hat jedoch das Gefühl, den Kopf in eine Waschmaschine gesteckt zu haben, wenn man sie ins Ohr leckt. (Es gibt zwar Frauen, die dieses Gefühl lieben, doch die sind definitiv in der Minderheit.) Setzen Sie Ihre Zunge und Ihre Lippen lieber an anderen Stellen des weiblichen Körpers ein – an dieser empfindlichen Öffnung ist es jedenfalls nicht angebracht. Wenn Sie ihrem Ohr absolut nicht widerstehen können, versuchen Sie lieber, mit der Zunge um den Außenrand zu fahren oder sanft an ihren Ohrläppchen zu saugen. Öffnen Sie dabei den Mund, damit Ihr Atem nicht direkt in ihr Ohr pustet.

Tipps

- Atmen Sie nur leicht. Sie möchte spüren, dass Sie da sind, aber Sie wollen doch nicht das Risiko eingehen, sich wie ein Orkan anzuhören.
- Achten Sie darauf, dass Sie nicht zu stark in ihr Ohr pusten; dieses Gefühl, das romantisch und verführerisch sein kann, wird sie bei zu großer Windstärke garantiert nicht erregen.
- Lecken Sie am Ohr, und pusten Sie dann leicht darauf. Diese Technik vermeidet die oft unangenehme Empfindung von Hitze und Feuchtigkeit am Ohr. Sie können dies auch an ihren Brustwarzen, an der Seite des Halses oder an ihrem Rücken ausprobieren.

Hals und Schultern

Diese erogene Zone ist besonders bemerkenswert. Berührungen von Hals und Schultern lösen bei ihr einen wahren Schauer der Gefühle am ganzen Körper aus, wenn Sie es richtig anstellen. Am besten berühren Sie diese Region in kreisförmigen Wellenbewegungen, statt eine gerade Auf- und Abbewegung. Dabei können Sie Ihre Zunge, die Lippen, Ihre Finger und das Kinn benutzen, und sie wird sich wie eine Katze an Sie schmiegen. Ihre Haut ist in diesem Bereich sehr empfindsam und dünn, sodass Sie nicht viel Druck ausüben müssen. Eine Frau erzählte: »Wenn er meinen Hals streichelt, fühle ich, wie mir weiter unten ganz heiß wird. Ich kann kaum glauben, dass ein so kleiner Bereich eine Reaktion meines ganzen Körpers bewirken kann. Ich zittere dann am ganzen Körper.«

Lassen Sie Ihre Finger und Hände anschließend weiter hinunter über ihre Schultern gleiten. Setzen Sie zu beiden Seiten die gleichen Berührungen ein – Masseure wissen schon seit Jahren, dass dies angenehm ist!

Tipps

- Die Seiten des Halses von den Ohrläppchen bis zum oberen Halsbereich zählen bei Frauen mit zu den empfindsamsten Körperregionen.
- Beginnen Sie mit zärtlichen Berührungen mit den Fingerspitzen, liebkosen Sie sie mit Lippen und Zunge, und achten Sie darauf, dass Sie beide Seiten einbeziehen.
- Heben Sie ihr Haar an und küssen Sie sie von Nacken bis zu den Schultern. Dies geht wunderbar, wenn sie ein schulterfreies Oberteil trägt.

Geheimtipp aus Lous Archiv

Die Damenwelt wünscht sich, dass sich die Herren nicht immer gleich den weiblichen Genitalien zuwenden. Sie sollten eher langsam vorgehen und sich spielerisch an die entscheidenden Stellen herantasten. Es ist wichtig, dem ganzen weiblichen Körper Aufmerksamkeit zu schenken.

Der Nabel

Manche Frauen genießen es, wenn Sie Ihre Zunge, Finger oder Nase in ihren Bauchnabel stecken, während andere dies regelrecht hassen. Deshalb ist Vorsicht geboten, mein Herren! Eine Teilnehmerin meinte: »Ich liebe es, wenn er mit dem Ring in meinem Nabel spielt, weil sein Mund so heiß ist. Er sagt, dass er dies so an mir mag – tagsüber bin ich ganz die coole Geschäftsfrau und nachts ein Club-Girl.« Eine Mutter dreier Kinder sagte dagegen: »Auf keinen Fall. Wenn an meinem Nabel herumgefummelt wird, verschwinde ich sofort zum Klo.«

Tipps

- Der Bereich vom oberen Rand der Schamhaare bis zu dem Punkt zwischen den Brüsten kann in sanften Kreisbewegungen (im Uhrzeigersinn) mit den Fingern oder dem Daumen massiert werden.
- Betrachten Sie ihren Nabel als perfektes Gefäß für Champagner oder andere »prickelnde« Getränke. Da er sich nur etwas nördlich von einem stark mit Nerven durchsetzten Bereich befindet, breiten sich hier entstehende Gefühle direkt dorthin aus.

Der Rücken

Der Rückenbereich direkt oberhalb ihres Gesäßes reagiert sehr empfindsam auf Druck. Durch leichten Druck mit der ganzen Hand können Sie Ihre Partnerin an dieser Stelle auf eine Art und Weise erregen, die für Sie beide überraschend und geheimnisvoll ist. Leichtes Streicheln des ganzen Rückens oder das zarte Berühren mit den Fingern ist eine weitere lustvolle Bewegung. So meinte eine Frau: »Das ist der Grund, warum Männer einen heißen Atem haben und wir Frauen Kleider mit tiefem Rückenausschnitt tragen.«

Tipps

- Manche Frauen fühlen sich möglicherweise ein wenig unwohl, wenn diesem Bereich Aufmerksamkeit geschenkt wird, da Sie sich dabei gefährlich ihrem Po nähern. Aus diesem Grund sollten Sie rücksichtsvoll vorgehen. Sie könnten ihr sagen, wie gerne Sie diesen Bereich berühren. Wenn sie empfindlich reagiert, konzentrieren Sie sich auf die Körpervorderseite oder den oberen Teil des Rückens.

- Wenn Sie sich ihren Rücken entlang in Richtung Po vorarbeiten, wandern die Empfindungen bei ihr aus der Leistengegend in den Genitalbereich.
- Damit sie erregt wird, berühren Sie die kleinen Grübchen oberhalb des Pos. Sagen Sie ihr, was Sie dort gern tun würden, und liebkosen Sie diesen Bereich dann mit der Zunge.

Der Po

Könnte ich es wagen, einen Bereich des weiblichen Körpers zu übersehen, der von den Männern so sehr bewundert wird? Wie ich bereits oben erwähnt habe, ist es vielen Frauen unangenehm, ihren Po zu zeigen, geschweige denn, ihn in den Mittelpunkt des männlichen Interesses zu rücken. Es ist deshalb an Ihnen, ihr zu zeigen und zu sagen, dass Sie ihren Po lieben. Eine Seminarteilnehmerin berichtete: »Als mein Freund mir sagte, dass es ausgerechnet dieser Körperbereich ist, den er gerne anschaut, berührt und küsst, war ich total überrascht. Jetzt habe ich mich daran gewöhnt und wenn wir die Sonntagszeitung lesen, legt er seinen Kopf in die Kurvung meines Rückens, sodass eine Wange an meinem Po ruht.«

Tipps

- Wenn Ihre Partnerin sich auf allen vieren befindet, können Sie Ihre Brust an ihr Gesäß lehnen und gleichzeitig ihre Brüste liebkosen.
- Wenn Sie dem Analspiel nicht abgeneigt ist, können Sie die Empfindungen für sie erhöhen, indem Sie sanft ihre Pobacken öffnen. Dadurch wird ihr After stimuliert und die Vorfreude auf die kommenden Zärtlichkeiten erhöht.

Arme und Beine

Denken Sie an all die Bereiche, die sich Ihnen hier bieten! Beine, Füße, Arme, Handgelenke, Hände! Auch hier sollten Sie daran denken, jeweils beide Seiten zu streicheln, da Ausgewogenheit sehr wichtig ist. Bei Berührungen der Gliedmaßen können Sie stärkeren Druck ausüben, weil die Haut dort dicker ist. Kürzlich habe ich im Flugzeug ein Paar beobachtet: Halb schlafend lehnte sich die Frau an ihren Partner, der mit seinen Fingerspitzen sanfte Kreisbewegungen auf ihrer Hand und ihrem Handgelenk machte. Nach ihrem glückseligen Lächeln zu urteilen, war sie im siebten Himmel. Es war schön zu beobachten, wie liebevoll er sie dabei anschaute. Eine kleine Geste mit toller Wirkung. Probieren Sie es selbst!

Tipps

- Die Berührung der Arme und Beine ist eine wunderbare Möglichkeit, ihre Nervenenden zu reizen, sodass sich angenehme Gefühle bis in die äußeren Bereichen ihres Körpers ausbreiten.
- Ein weiterer Vorteil von Berührungen der Gliedmaßen besteht darin, dass sie auch in der Öffentlichkeit ausgetauscht werden können, ohne Aufsehen zu erregen. Arme, Beine und Hände sind auch ein wunderbarer Platz für den »Wirbel« (siehe Seite 102).

Die Füße

Für diesen Körperbereich habe ich bei den alten Chinesen nach-
gelesen, die die Füße als Tor zum Körper betrachten. Wenn man
die Füße einer Frau sanft reibt oder massiert, gilt es einige wichtige Dinge zu beachten. Sie sollten sich beide in einer bequemen
Position befinden, in der Sie leicht auf beide Füße zugreifen
können. Sie könnten sich beispielsweise vor sie auf den Boden
zwischen ihre Beine setzen, oder sie könnte ihre Beine auf die
Ihren legen, während Sie Ihr Gesicht ihren Zehen zugewandt
haben. Verwenden Sie eine Körperlotion, damit Sie die Streichelbewegungen leichter ausführen können, und legen Sie ein Handtuch auf ihre Knie, damit die Lotion nicht an Stellen landet, wo
sie nicht hin soll.

Der Sinn einer Fußmassage besteht darin, die Spannung der
kleinen Muskeln und Sehnen zu lösen, die die kleinen Fußkno-
chen an Ort und Stelle halten. Am besten beginnen Sie mit sanften, kreisförmigen Streichelbewegungen mit den Daumen von
der Ferse bis zu den Zehen, so, wie sich ein Masseur Ihre Wirbel-
säule hinaufarbeiten würde. Üben Sie dabei keinen Druck mit
beiden Händen aus. Jede kräftige Druckbewegung presst die
kleinen Knochen im Fuß zusammen, was wehtut. In den Tagen
kurz vor ihrer Periode kann die Fußaußenseite Ihrer Partnerin
unterhalb des Knöchels sehr empfindlich sein. Gehen Sie ganz
sanft vor. Lösen Sie die Spannung in den Zehen, indem Sie leicht
in einer nach oben gerichteten Bewegung an jedem einzelnen
Zeh ziehen. Beginnen Sie in der Mitte der Fußsohle, wo Sie Ihre
Daumen zusammenhalten, und streicheln Sie kräftig mit beiden
Daumen mit einer nach außen gerichteten Bewegung über den
Fußballen. Wiederholen Sie dieselbe Bewegung den ganzen Fuß
hinunter, oben und unten. Als Nächstes führen Sie mit den
Handballen an ihrer Ferse eine Kreisbewegung aus und nehmen
dann Ihren Daumen oder den Zeige- und Mittelfinger, die Sie

wie kleine Knie beugen, um den Druck zu steigern. Und natürlich können Sie an ihren Zehen saugen und ihre Füße mit Zunge
und Lippen liebkosen, wenn ihre Partnerin nicht kitzelig ist.

Valerie Ann Worwood, die Autorin von *Scents and Scentuality*, schreibt, dass der Fuß eine Reihe von erotischen Punkten
hat, die bei sanftem Druck Empfindungen in den Genitalien
der Frau auslösen.

- Massieren Sie die großen Zehen mit Daumen und Fingern.
- Massieren Sie zu beiden Seiten der ersten sieben Zentimeter
  des Knochens, der an der Rückseite der Ferse in Richtung
  Wade verläuft.
- Setzen Sie eine kreisförmige Massagetechnik ein, um die drei
  Punkte zu verbinden, die in einer Linie vom Ende der Ferse
  zur Fußsohle und weiter zu der Spalte des mittleren Zehs verlaufen. Sie können auch den vierten Punkt auf der Sohle mit
  einbeziehen, der sich direkt an der Fußwölbung befindet.

Eine Reflexzonenmassage der Füße dient dazu:
 1. Wohlbefinden zu verschaffen
 2. Angst zu reduzieren
 3. den Geist frei zu machen
 4. Nackenspannungen zu reduzieren
 5. Augenstress zu reduzieren
 6. die Laune zu verbessern
 7. Stress zu reduzieren
 8. die Atmung zu regulieren
 9. Spannungen zu reduzieren
10. Nervosität zu reduzieren
11. den Kreislauf anzuregen
12. die Bauchmuskulatur zu lockern
13. Angst zu reduzieren
14. Nervosität zu reduzieren

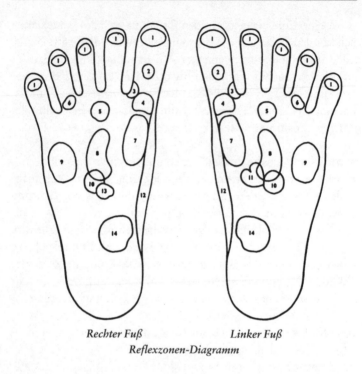

Rechter Fuß   *Linker Fuß*
Reflexzonen-Diagramm

Die Brüste

Nicht alle Frauen mögen es, wenn man Ihre Brüste berührt. Eine Frau in meinem Seminar erklärte, dass sie es absolut nicht leiden kann, wenn ihre Brüste massiert werden. »Ich würde lieber ein kaltes Bad nehmen«, meinte sie. Andere Frauen lieben es einfach! Sie mögen es, wenn ihre Brüste mit den Händen umfasst werden, wenn an ihnen gesaugt und mit ihnen gespielt wird. Ein Chirurg erzählte in einem Seminar, dass die Frau, mit der er zusammen war, darauf stand, wenn er in ihre Brustwarzen biss. Was dem einen Schmerzen bereitet, kann für den anderen also durchaus Genuss sein.

Am besten beginnen Sie von unten und streicheln sich vorsichtig zu den Brustwarzen vor. Wenn Sie nämlich direkt auf die Brustwarzen zugehen, kann sich Ihre Partnerin nicht entspannt ihren Empfindungen hingeben. Und zu Ihrer Information: Die meisten Frauen mögen es *nicht*, wenn man in ihre Brustwarzen kneift. Es ist, als ob sie eine Katze gegen den Strich streicheln, was sie nur verärgern wird. Plumpe Grabsch- und Kneiftechniken heben Sie sich lieber für das Obst beim Gemüsehändler auf.

Wieder ist es an Ihnen, zu experimentieren und zu entdecken, wie Ihre Partnerin berührt werden möchte. Sie könnten sie bitten, Ihre Hände zu lenken, und Ihnen zu zeigen, wie sie es gerne mag. Sie könnten Sie auch beim Masturbieren beobachten, vorausgesetzt, sie fühlt sich wohl dabei. Stimuliert sie ihre Brustwarzen mit den Fingern, oder umfasst sie die ganze Brust? Hebt sie ihre Brüste dabei an, oder drückt sie sie mit den Händen zusammen?

Wenn Ihre Partnerin starken Druck an den Brustwarzen mag, könnten Sie Brustwarzenclips mit anpassbarer Spannung verwenden. Wenn Sie diese Clips nirgendwo bekommen können, sind Haarklemmen und Wäscheklammern ein ausgezeichneter Ersatz.

Geheimtipp aus Lous Archiv

Ein Arzt berichtete, dass viele Frauen, die zu einer Mammographie kommen, sagen, dass es der Freund oder Ehemann war, der den Knoten oder die Verdickung in ihrer Brust entdeckt hat. Sie können Ihre Partnerin also zugleich verwöhnen und für ihre Gesundheit sorgen, indem Sie ihren Brüsten viel Aufmerksamkeit schenken. Am besten tasten Sie ihre Brüste jeden Monat zur selben Zeit ab, da mögliche Veränderungen durch den monatlichen Hormonzyklus verursacht werden.

Der »Wirbel« und die erotische Massage

Die Haut der Frau ist ihr größtes Geschlechtsorgan. Daher kann jeder Hautbereich, je nachdem wie Sie Ihre Partnerin berühren, streicheln und verwöhnen, zu einer erogenen Zone werden. Stellen Sie sich vor: Sie sitzen in einem Konferenzzimmer neben einer attraktiven Frau und Ihre Ellbogen berührten sich zufällig. Eine prickelnde Begegnung.

Der »Wirbel«

In meinen Seminaren schlage ich vor, dass Männer zuerst ausprobieren, wie sich der Wirbel bei ihnen selbst anfühlt. Dazu nehmen Sie Ihren Oberschenkel als Trainingsplatz (Sie können dabei bekleidet oder unbekleidet sein) und kratzen in gerader Richtung von Ihrem Knie in Richtung Leiste. Zuerst setzen Sie dabei die Fingernägel ein und anschließend die Fingerspitzen, um den Unterschied zu spüren. Wiederholen Sie dieselbe Bewegung erneut, diesmal mit anderem Druck. Sofort danach fahren Sie mit wellenförmig verlaufenden Streichelbewegungen über Ihren Oberschenkel. Spüren Sie den Unterschied? Der Grund, warum sich die Berührungen so verschieden anfühlen, besteht darin, dass die feinen Nerven der Haut bei der geraden Bewegung »wissen«, dass sie als Nächstes an der Reihe sind, während sie bei der wellenförmigen Bewegung erwarten und hoffen, dass sie als Nächste drankommen. Wie viele Männer und Frauen gesagt haben, lässt sich diese Technik praktisch überall am Körper mit einer einfachen Handbewegung ausführen.

Sie können sich mit dem Wirbel auch ganz langsam von den Händen oder Füßen zu ihren Genitalien vorstreicheln. Wenn Sie Ihre Finger kreisen lassen, wird sie stöhnend nach mehr verlangen. Der große Vorteil dieser aufregenden Berührung besteht darin, dass sie auch ganz unauffällig in der Öffentlich-keit ausgetauscht werden kann, ohne dass ihr dies peinlich sein muss oder Sie zu stark erregt werden.

Die sinnliche Massage

Es gibt die verschiedensten Formen der erotischen Massage und viele Bücher, die sich ausschließlich mit diesem Thema be-schäftigen. Ich werde Ihnen hier nur einige der wichtigsten Techniken vorstellen. Für diese Techniken ist nicht viel Vorbe-reitung oder Übung erforderlich. Grundvoraussetzung ist nur, dass Sie sich dabei ganz einbringen.

Üben Sie mit beiden Händen einen zarten und gleichmäßi-gen Druck auf die verschiedenen Körperteile Ihrer Partnerin aus. Ich glaube, es ist immer am besten, oben (am Kopf) zu be-ginnen, und sich nach unten (zu den Füßen) vorzuarbeiten. Be-ziehen Sie dabei ihre Brüste und ihre Schamgegend, die so ge-nannten »Aktionspunkte«, nicht mit ein. Sie sind zu empfind-lich und könnten eine zu starke sexuelle Spannung auslösen, wodurch Sinn und Zweck der Massage untergraben werden.

Abhängig von der Empfindsamkeit variieren Sie den Druck. Hier einige sinnliche Tipps:

- Sorgen Sie immer für Ausgewogenheit, indem Sie die Bewe-gungen auf beiden Seiten wiederholen.
- Verwenden Sie Körperlotion oder Massageöl, damit Ihre Hände leicht über ihre Haut gleiten.
- Gießen Sie die Lotion oder das Öl in Ihre Hände und reiben Sie sie zusammen, um Sie angenehm »vorzuwärmen«.
- Nehmen Sie ein Handtuch oder Laken, um die Körperteile zuzudecken, die Sie gerade nicht massieren, und achten Sie darauf, dass der Raum warm ist.
- Lassen Sie beruhigende Musik spielen.

Necken Sie sie

Zum Repertoire eines perfekten Liebhabers gehören neben atemberaubenden Küssen und zärtlichen Streicheleinheiten auch erotische Neckereien, die die Stimmung aufheizen. Sie sind ein besonders raffinierter Teil des Vorspiels, und Ihrer Fantasie sind bei diesen Spielereien keine Grenzen gesetzt. Für diejenigen unter Ihnen, die die Kunst des Neckens perfektionieren wollen, habe ich einige Geheimtipps zusammengetragen, die mir Hunderte von Frauen anvertraut haben. Schließlich ist es doch Ihr Ziel, ihr und Ihnen absolutes Vergnügen zu bereiten! Die Macht des Neckens liegt im geheimnisvollen Wechselspiel von Geist und Körper. Hier einige Ideen für neckische Spielchen, die absolutes Vergnügen bereiten.

1. Erfinden Sie gemeinsam ein erotisches Fantasieszenario. Sie schreiben eine Zeile oder einen Absatz, und sie schreibt den nächsten.

2. Erzählen Sie ihr eine Ihrer sexuellen Fantasien, in der sie eine Rolle spielt. Wenn Sie Angst haben, dass Sie sie mit der Offenheit Ihrer Fantasievorstellung schockieren könnten, ändern Sie sie leicht ab, um erst einmal festzustellen, wie sie darauf reagiert.

3. Rufen Sie sie von der Arbeit aus an und sagen Sie ihr, was Sie am Abend mit ihr vorhaben.

4. Hinterlassen Sie eine Voice Mail für sie, in der Sie beschreiben, was Sie mit ihr machen möchten, oder lesen Sie eine erotische Geschichte vor, die Sie auf ihrem Anrufbeantworter hinterlassen.

5. Nutzen Sie das wunderschöne Ritual des gemeinsamen Essens, um die Spannung zwischen Ihnen beiden zu erhöhen. Eine Frau beschrieb das öffentliche Vorspiel von ihr und

ihrem Mann folgendermaßen: »Es begann, als ich mich kürzlich einer Operation am Handgelenk unterziehen musste. Wir gingen abends zum Essen aus und ich war ziemlich hilflos, weil ich meine Hand nicht bewegen konnte. Plötzlich hatte mein Mann ›diesen‹ Blick in den Augen, als er die Speisekarte durchlas und sagte: ›Ich werde für dich bestellen und dich füttern.‹ Als der Ober an den Tisch kam, erfand mein Mann eine Geschichte hinsichtlich meiner misslichen Lage, bestellte und setzte sich dann neben mich. Die nächsten beiden Stunden waren wahnsinnig sinnlich und voller sexueller Spannung. Es erregte mich ungemein, dass er mir so viel Aufmerksamkeit schenkte, und es war so süß von ihm, mein Essen in kleine mundgerechte Happen zu zerschneiden.« Wenn Ihnen eine solche öffentliche Vorstellung unangenehm ist, essen und trinken Sie einfach langsam und genießen Sie jeden Bissen oder Schluck sichtlich. Glauben Sie mir: Wenn Sie Ihrer Partnerin beim Essen besondere Aufmerksamkeit schenken, wird sich das auf sie übertragen.

6. Schicken Sie Ihr eine Postkarte und schreiben Sie ihr, was Sie an ihrem Körper am meisten erregt.

Checkliste für ein fantastisches Vorspiel

- Der Orgasmus ist nicht der einzige Weg zur Befriedigung; wichtig ist, welche Gefühle Sie einander schenken.
- Benutzen Sie auch beim Vorspiel ein Gleitmittel und bewahren Sie es immer in Reichweite auf.
- Sorgen Sie dafür, dass Ihr Atem und Mund rein sind. Ich weiß, dass sich das eigentlich von selbst versteht, aber ich möchte es zur Sicherheit noch einmal erwähnen.
- Gehen Sie ganz, ganz langsam vor.
- Beziehen Sie ihren gesamten Körper in Ihre Liebkosungen ein. Setzen Sie Mund und Hände überall ein und probieren Sie den Wirbel aus.
- Setzen Sie den stärksten sexuellen Reiz – Ihr Gehirn – ein und wenden Sie sich ihrem Körper so zu, als sei er ganz neu für Sie. Wenn Sie denken: »Ist ja alles ein alter Hut«, wird sich genau das in Ihrer Einstellung widerspiegeln. Wenn Sie das Ganze aber mit einer entdeckungsfreudigen Einstellung angehen, wird sie den Unterschied deutlich spüren. Betrachten Sie sie, als wäre sie eine ganz neue Partnerin.
- Probieren Sie neue Techniken zuerst an sich selbst aus.
- Fragen Sie sie regelmäßig, ob Druck und Geschwindigkeit ihrer Berührungen angenehm sind, da sich ihre Vorlieben während einer »Sitzung« ändern können.
- Prüfen Sie Ihren Bartwuchs und rasieren Sie sich, wenn nötig.
  Männer mit Vollbart können ihren Bart mit einer Haarspülung weicher und schmusefreundlicher machen.
- Wenn einer von Ihnen etwas Scharfes isst, bevor Sie miteinander intim werden, sollte der andere auch davon probieren. Dieser Tipp stammt von einer eleganten Ungarin, die mir sagte: »Das ist sehr wichtig, damit die Chemie der Partner

besser miteinander harmoniert.« Geben Sie ihr also von Ihrem Tsatsiki ab.

Bei einem fantasiereichen Vorspiel geht es darum, sowohl ihren Geist als auch ihren Körper zu verführen und zu erregen. Ich bin allerdings der Meinung, dass es an der Zeit ist, einen neuen Begriff für das Vorspiel zu erfinden. Die Bezeichnung »Vor-Spiel« impliziert, dass es an sich nicht genug ist. Ganz im Gegenteil: Für die meisten Frauen sind Küssen, Streicheln und Necken wesentliche und sehr befriedigende Teile des Liebesspiels. Wie Sie in den nächsten beiden Kapiteln sehen werden, haben Frauen oft Schwierigkeiten, sich gehen zu lassen, wenn sie nicht »aufgewärmt« sind. Eine Journalistin aus Philadelphia meinte: »Wenn wir während des Liebesspiels Zeit haben, wirklich miteinander zu spielen, erreicht der Sex eine ganz andere Ebene.«

5.Kapitel

Bereiten Sie ihr mit den Händen Vergnügen

Ihre »Aktionspunkte«

In diesem und dem nächsten Kapitel geht es um die Feinheiten – hier können Männer, die es in Sachen Liebe zu wahrer Meisterschaft bringen wollen, lernen, wie sie sich von der Masse abheben können. Obwohl ich bereits beschrieben habe, wie sehr ihre erogenen Zonen durch die richtigen Berührungen stimuliert werden können, haben wir uns noch nicht mit den »Aktionspunkten« befasst. Als ich in meinem Seminar für Frauen auf einige dieser Techniken verwies, meinte eine Teilnehmerin: »Würden Sie mir bitte sagen, wo Sie das Seminar für Männer abhalten, damit ich vor der Tür warten und mein Taschentuch fallen lassen kann?« Natürlich ging es ihr nicht darum, dass jemand für sie das Taschentuch aufhob, obwohl dies eine nette Geste gewesen wäre. Diese Frau war vielmehr auf der Suche nach einem Mann, der sich in Sachen Liebe auskennt und selbstbewusst genug ist zu wissen, dass man immer noch dazulernen kann.

Eins stimmt zweifellos: Frauen mögen es, wenn ihre Genitalien berührt werden. Genau wie Sie es genießen, wenn Sie gestreichelt werden, werden Frauen ungemein erregt, wenn Sie ihnen mit Ihren Fingern und Händen Aufmerksamkeit schenken.

Frauen genießen genitale Berührungen, um feucht und bereit für die Penetration oder den Orgasmus zu werden, und verlassen sich dabei ganz auf ihren Partner. Sie werden im Folgenden Techniken und Methoden kennen lernen, mit deren Hilfe Sie ganz einfach und liebevoll herausfinden können, wie sie an den entscheidenden Stellen liebkost und stimuliert werden möchte. Wir Frauen sind dankbar, wenn Männer fragen, was uns gefällt, aber manchmal, meine Herren, wissen *wir* es selbst nicht. Eine Seminarteilnehmerin aus San Diego berichtete, dass ihr Mann, den sie gleich nach der Schule kennen gelernt hatte, sie alles in Bezug auf ihren Körper gelehrt hatte. Sie war in einer konservativen, katholischen Familie aufgewachsen, in der nicht über Sex und schon gar nicht über die Erforschung des eigenen Körpers geredet wurde, sodass sie erst erfuhr, was sich angenehm anfühlt, als ihr Mann sie berührte. Frauen wünschen sich Fantasie, Aktivität und Einfühlungsvermögen von Ihnen.

Geheimtipp aus Lous Archiv

In der Zeitschrift *Science* wurde berichtet, dass es sechs Stunden dauert, bis man sich eine körperliche Fertigkeit merkt. Nach dem Erlernen einer solchen Fertigkeit, beispielsweise eines neuen Golfschlags oder einer Variation des Kunnilingus, dauert es sechs Stunden, bis die Information im Langzeitgedächtnis gespeichert wird. Wenn dieser Speicherungsprozess jedoch durch das Erlernen einer anderen neuen Fertigkeit unterbrochen wird, könnte diese erste Lektion wieder gelöscht werden.

Manche Frauen empfinden die Hand oder den Mund des Partners an ihren Genitalien als intimer als den eigentlichen Geschlechtsverkehr. Dabei erlaubt Ihre Partnerin Ihnen den Zugang zu ihren intimsten Körperbereichen und tut dies in einer empfangenden Position, wodurch sie sich verletzbar fühlt. Viele

Frauen wurden soziokulturell »programmiert« zu geben und nicht zu nehmen. Männer haben mir gesagt, dass es für sie sehr wichtig war zu erfahren, dass Frauen sich möglicherweise erst an diesen besonders intimen Akt gewöhnen müssen. Doch wenn es einer Frau nicht angenehm ist, genital berührt zu werden, sollte man ihre Abneigung respektieren.

Es gibt eine ganze Auswahl an Schritten und Ideen, die man beim Berühren der weiblichen Genitalien in Betracht ziehen sollte. Manche Frauen mögen es, wenn der Partner mit einem leichten, kaum spürbaren Beklopfen der Klitoris beginnt. Andere Frauen mögen Berührungen der »Liebesknospe« erst, wenn sie bereits sehr erregt sind. Am anderen Ende der Skala gibt es Frauen, die sehr feste, direkte und schnelle Berührungen der Klitoris und des gesamten umgebenden Bereichs mögen. Wieder andere bevorzugen langsame, subtile Berührungen. Die zuverlässigsten Tipps erhalten Sie deshalb am besten direkt von ihr. Wenn Sie bereits wissen, welche oralen Techniken bei ihr funktionieren, versuchen Sie sie so gut wie möglich mit den angefeuchteten Fingern nachzuahmen. Ein Musiker aus Seattle meinte: »Zu lernen, was eine Frau mag, ist wie das Erlernen eines neuen Instruments. Man weiß, wie die Akkorde bei x funktionieren, aber hier handelt es sich um y, und man braucht ungeheuer viel Übung, um sich zurechtzufinden und zu wissen, was man tut.«

Geheimtipp aus Lous Archiv

Obwohl Sie dabei sicherlich einige Anregungen bekommen, wenn Sie eine Frau beim Masturbieren beobachten, werden Sie sie dennoch nicht so berühren, wie sie sich selbst berührt. Die besten Anweisungen erhalten Sie durch ihre lenkende Hand.

Es geht los

Um Ihre Fähigkeiten zu perfektionieren, wenn es darum geht, sie mit Ihren Händen und Fingern zu erregen, müssen Sie unbedingt wissen, wie und wo sie berührt werden möchte. Wenn Sie nicht wissen, wohin die Reise geht, werden Sie auch nicht wissen, was zu tun ist, wenn Sie angekommen sind. Daher habe ich einen praktischen Wegweiser aufgestellt, damit Sie nicht das Gefühl haben, in der Wildnis verloren zu gehen. Außerdem finden Sie hier auch hilfreiche Tipps zum Thema Gleitmittel. Diese Tipps beziehen sich nicht nur auf die manuelle Stimulation, sondern auch auf oralen und analen Sex und den Geschlechtsverkehr.

Bevor Sie Ihre Finger spielen lassen, waschen Sie sich bitte die Hände. Dafür gibt es zwei Gründe. Erstens ist das Schleimhautgewebe der weiblichen Genitalien äußerst zart und anfällig für Keime und zweitens kann der natürliche Salzgehalt des Schweißes an Ihren Fingern dort ein brennendes Gefühl verursachen. Waschen Sie sich also gut die Hände und entfernen Sie alle Seifenreste (eine flüssige antibakterielle Seife würde bei ihr wie Feuer brennen). Lecken Sie Ihre Finger ab, wenn kein Wasser zur Verfügung steht, oder benutzen Sie ein Öltuch für Babys.

Achten Sie auch auf Ihre Nägel. Eine Frau erzählt: »Wenn er mich dabei aus Versehen einmal mit seinem Nagel gekratzt hat, denke ich nur noch daran, dass es bestimmt gleich wieder passieren wird. Ich kann mich dann überhaupt nicht mehr entspannen.« Zu keiner anderen Zeit wird Ihre Partnerin eine Maniküre bei Ihnen mehr zu schätzen wissen. Und schließlich ist eine Maniküre zweifellos Zeichen eines gepflegten, selbstbewussten Mannes. Glauben Sie mir – Frauen achten sehr auf Männerhände, und zwar nicht nur, weil man an ihnen angeblich die Länge seines Penis ablesen kann, sondern auch, weil sie sich vorstellen, wie sich seine Hände auf ihrem Körper anfühlen werden. Wenn Frauen bei einem Mann scharfkantige, abgebissene Fingernägel sehen, nimmt seine Attraktivität schlagartig ab. Und keine Frau möchte von einem Mann mit schmutzigen Fingernägeln berührt werden!

Verwenden Sie eine Lotion, wenn Sie raue Hände haben. Bedenken Sie, dass die weibliche Haut nicht so dick ist wie die männliche. Schwielen könnten kratzen und sich auf ihrer Haut rau anfühlen. Eine Frau erzählte: »Mein Mann arbeitet viel mit den Händen und hat mich immer gekratzt, wenn er mich berührt hat. Jetzt weiß er, dass eine Fußmassage das beste Mittel ist, um mich zu entspannen und in Stimmung zu bringen. Wenn ich mit der Lotion ins Zimmer komme, weiß er, worum es geht. Ich bekomme meine Fußmassage, seine rauen Hände werden dabei von der Lotion schön weich und dann nimmt alles seinen Lauf. Toll, nicht wahr?«

Geheimtipp aus Lous Archiv

Um zu prüfen, ob Ihre Nägel kurz genug sind und sie nicht unabsichtlich kratzen könnten, krümmen Sie Ihren Finger wie einen Angelhaken nach unten und reiben mit ihm am Gaumen unterhalb Ihrer unteren Vorderzähne entlang. Wenn Sie Ihren Nagel spüren, wird es Ihrer Partnerin beim Sex nicht anders ergehen. Sie sollten sich also die Nägel schneiden. Denken Sie daran, dass Ihre Hände Zugang zu den empfindlichsten Bereichen des weiblichen Körpers haben werden. Sie wird keinen Spaß haben, wenn Ihre Finger dabei rau und kratzig sind.

Ihre Genitalien – eine erotische Anatomiestunde

Ich gehe davon aus, dass Sie mit den wesentlichen Details dieser
Region vertraut sind, aber vielleicht sind einige Zusatzinforma-
tionen angebracht, damit Sie *wirklich* verstehen, was Sie
berühren und wo Frauen berührt werden möchten. Ich möchte
ganz offen sein: Es ist nicht ungewöhnlich, dass Männer in diesem Bereich im Dunkeln tappen. Der weibliche Körper hat etwas
Geheimnisvolles an sich – nicht nur für den Mann, sondern oft
auch für die Frau selbst. Der auffälligste körperliche Unterschied
zwischen Männern und Frauen besteht darin, dass die männlichen Geschlechtsteile außen liegen und gut sichtbar sind, während einige der wichtigsten Teile der weiblichen Genitalien nur
sichtbar werden, wenn die Frau ihre Beine öffnet, und andere
sogar ganz im Inneren des weiblichen Körpers verborgen sind.

Geheimtipp aus Lous Archiv

Männer haben unzählige Namen für ihre Genitalien, von denen einige
sehr persönlich sind. Frauen haben normalerweise nur einen: »da
unten«.

Trotz dieser Unterschiede entsprechen die weiblichen Genitalien in vielerlei Hinsicht den männlichen. Tatsächlich besteht
beim Heranwachsen eines Kindes im Mutterleib bis zur sechs-
ten oder achten Woche kein Unterschied zwischen dem (weiblichen) XX-Embryo und dem (männlichen) XY-Embryo. In der
Gebärmutter nehmen wir also alle unseren Anfang als Frau. In
der embryonalen Phase beginnt erst etwa um die achte Woche
herum die Produktion des männlichen Hormons Testosteron.
Es verwandelt die potenziellen Schamlippen in den Hodensack
und die potenzielle Klitoris in die Penisspitze.

Die Vulva

Der gesamte Bereich der äußeren Geschlechtsorgane der Frau wird als Vulva bezeichnet. Der Schamhügel ist der Bereich mit Fettgewebe, der eine weiche Erhebung über dem Schambein bildet und mit Haut und Schamhaar versehen ist. Die großen Schamlippen reichen vom Schamhügel bis zur Scheidenöffnung. Sie bestehen auf jeder Seite aus einer Hautfalte, die mit Fettgewebe, Schweiß- und Talgdrüsen besetzt und mit Nervenenden ausgestattet ist. Die beiden großen Schamlippen sind geschlossen und decken die Harnröhren- und Scheidenöffnung ab, wenn die Frau nicht erregt ist oder ihre Beine nicht spreizt. Die kleinen Schamlippen befinden sich innerhalb der großen Schamlippen und reichen von dem Bereich oberhalb der Klitoris bis unterhalb der Scheidenöffnung. Diese beiden Hautfalten sind dünner und weisen keine Schambehaarung oder Fettgewebe auf, haben aber mehr Nervenenden als die großen Schamlippen. Obwohl sie als »kleine« Schamlippen bezeichnet werden, ist es nicht ungewöhnlich, dass sie über die großen hinausragen.

Geheimtipp aus Lous Archiv

Bei 50 Prozent der Frauen ragen die kleinen Schamlippen über die großen hinaus.

Die Farbe der Genitalien ist von Frau zu Frau verschieden (Rosa, Rot, Lila und Schwarz sind ganz normal) und kann sich in der Erregungsphase verändern. Genau wie sich die männlichen Genitalien von Mann zu Mann unterscheiden, sind auch die Schamlippen in Bezug auf Größe, Form und Empfindlichkeit bei jeder Frau anders. Die Spitze der Klitoris befindet sich direkt unterhalb der Stelle, an der die kleinen Schamlippen oben

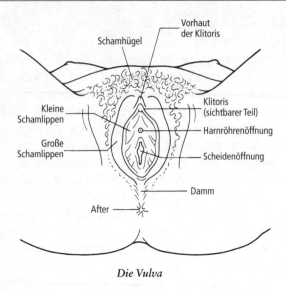

Die Vulva

zusammentreffen. Sie ist von einer kleinen Hautfalte bedeckt, die der Vorhaut bei einem nicht beschnittenen Mann entspricht. Die Klitoris ist ein kleines, empfindliches Organ am oberen Ende der Vulva, das aus Gewebe, Blutgefäßen und Nerven besteht. Mit Haut bedeckt, sieht sie für das bloße Auge nur wie ein winziger Punkt aus, aber der größte Teil der Klitoris befindet sich im Körperinnern, nicht außen. Dr. Helen O' Connell, eine Urologin am Royal Melbourne Hospital in Australien, fand heraus, dass »die externe Spitze der Klitoris mit einer pyramidenförmigen Masse Erektionsgewebe im Körperinnern verbunden ist, das viel größer als bisher angenommen ist. Der ›Rumpf‹ der Klitoris, der mit der Eichel verbunden ist, entspricht von der Größe her etwa dem oberen Daumenglied. Er hat zwei bis zu neun Zentimeter lange ›Arme‹, die in den Körper hineinreichen und nur wenige Millimeter neben den Muskelenden liegen, die an den Oberschenkelinnenseiten nach oben verlaufen. Vom Rumpf der Klitoris erstrecken sich außerdem zwei Knospen zu beiden Seiten der Scheidenhöhle, die den Raum zwischen den Klitorisarmen ausfüllen.«

Während der sexuellen Stimulation wird die Beckenregion stark durchblutet und die Klitorisspitze schwillt an und wird fest. Aus diesem Grund ist die Klitoris schwerer zu finden, wenn der umgebende Bereich stimuliert wurde. Wie der Penis hat sie sich mit Blut gefüllt, ist erigiert und unter der Vorhaut hervorgetreten. Da die Arme der Klitoris unterhalb der Schamlippen verlaufen (siehe Abb. 118), stimuliert jede Reizung des Harnröhren-, Scheiden- und Analbereichs indirekt auch den Rumpf der Klitoris. Diese Verzweigung der Klitorisarme nach unten und zu beiden Seiten der Schamlippen erklärt, warum der Einsatz eines Vibrators direkt auf der Klitorisknospe für manche Frauen nicht so angenehm ist. Sie sagen, dass das Ge-

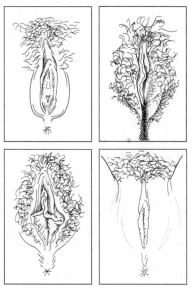

Unterschiedliche weibliche Genitalien

fühl dabei zu stark ist. Stattdessen wird durch Druck gegen die Seiten der großen Schamlippen ein breiteres Feld der Klitoris weniger intensiv stimuliert.

Geheimtipp aus Lous Archiv

Der größte Teil der Klitoris ist im Körperinnern versteckt.

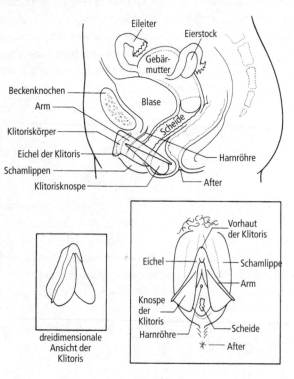

Die Klitoris

Geheimtipp aus Lous Archiv

Die Bezeichnung »Klitoris« stammt aus dem Griechischen: *kleitoris* bedeutet kleiner Hügel.

Knapp unterhalb der Klitorisspitze befindet sich die sehr kleine Harnröhrenöffnung und dahinter der Scheideneingang. Wenn man sich vor Augen führt, wie nah diese beiden Öffnungen beieinander liegen, wird verständlich, warum so viele Frauen nach dem Sex eine Blasenentzündung bekommen. Die Infektion ist das Ergebnis fremder Bakterien, die durch die reibenden und stoßenden Bewegungen während des Geschlechtsverkehrs in die Harnröhre gelangen.

Geheimtipp aus Lous Archiv

Der lateinische Begriff *mons veneris* bedeutet »Venushügel« und ist nach der römischen Liebesgöttin benannt.

Unterhalb der Scheidenöffnung, wo sich die Schamlippen treffen, befindet sich ein kleiner Bereich glatter, normalerweise haarloser Haut, der als Perineum (Damm) bezeichnet wird. Darunter befindet sich der After. Der ganze Dammbereich kann sehr berührungsempfindlich sein (was häufig auch bei Männern der Fall ist). Ein Seminarteilnehmer bezeichnete diesen Bereich als Veranda und machte den Vorschlag, daran zu saugen oder ihn mit den Fingern zu massieren. Manche Frauen lieben dieses Gefühl!

Die Scheide

Man kann die Scheide nicht sehen, da sie sich im Körperinnern der Frau befindet. Das kann verwirrend sein. Wie ich gerade erläutert habe, sind Vulva und äußere Schamlippen gut erkennbar, doch auf die Scheide trifft dies nicht zu. Sie verändert außerdem je nach Erregungszustand der Frau ihre Größe und Form. Ein Mann hat das einmal so beschrieben: »Es ist, als ob man mit seinem besten Teil in einen warmen, feuchten, sehr weichen Lederhandschuh schlüpft. Es ist diese Kombination aus Wärme, Druck und Feuchtigkeit, die das Ganze so umwerfend macht.«

Am Anfang des Liebespiels ist die Scheide zusammengezogen und wenn die Frau erregt ist, wird sie innerhalb von dreißig Sekunden feucht. Doch diese Feuchtigkeit bedeutet nicht, dass sie »bereit« zur Penetration ist – sei es mit dem Finger oder Penis. Das beste Anzeichen, dass eine Frau wirklich entspannt ist und Sie aufnehmen will, ist ihre Atmung. Je tiefer die Atmung wird, desto entspannter ist sie.

Geheimtipp aus Lous Archiv

Mutter Natur hat es so eingerichtet, dass die Scheide feucht wird und sich entspannt, sodass eine tiefere Penetration und die Abgabe von Sperma in der Nähe des Muttermunds möglich wird. Penis und Scheide sind wunderbar aufeinander abgestimmt! Aber das ist Ihnen wohl nichts Neues.

Im nicht erregten Zustand ist die Scheide eine sieben bis zehn Zentimeter lange Röhre, sodass sich ein erigierter Penis von etwa zwölf Zentimeter Länge für die meisten Frauen als ausreichend lang anfühlt. Die Scheide besteht aus Muskelgewebe mit wulstiger Oberfläche und ist – ähnlich wie das Mundinnere – mit Schleimhaut ausgekleidet. Wenn die Frau nicht erregt ist, berühren die Scheidenwände einander. Jede Frau, die schon einmal einen Tampon eingeführt hat, weiß das – die Scheide fühlt sich viel enger an als im Erregungszustand. Wenn die Frau erregt wird, produzieren die Scheidenwände eine glitschige Flüssigkeit und öffnen sich, sodass der Penis aufgenommen werden kann. Während der Geburt eines Kindes dehnen sich die Scheidenwände natürlich noch sehr viel mehr.

Die Enge der weiblichen Scheide hängt von der Straffheit der Beckenbodenmuskulatur an der Scheidenöffnung ab. (Die übrige Scheide erweitert sich, um den Penis aufzunehmen.) Aussehen und Konsistenz der Scheidenabsonderungen variieren während des monatlichen Zyklus, wenn sich das Klima im Scheideninnern durch die Schwankungen des Hormonspiegels verändert. Mit dem Scheidenklima ändert sich also auch die natürliche Gleitfähigkeit bei der Frau. Bei Frauen in den Wechseljahren und danach kommt es ebenfalls zu Abweichungen bei der Gleitfähigkeit.

Andere Faktoren, die sich auch auf die Bildung der Scheidenflüssigkeit auswirken, sind Alkohol und Medikamente, die dem Körper Wasser entziehen. Im Allgemeinen ist die Scheide der Frau ein Körperbereich, der sein Klima selbst reguliert und sich auch selbst reinigt. Sperma fließt auf natürlichem Weg wieder heraus und wenn der Schamlippenbereich regelmäßig mit einer milden Seife gewaschen wird, ist keine andere Pflege erforderlich. Wenn es von einem Arzt nicht ausdrücklich empfohlen wird, ist die Anwendung von Scheidenduschen nicht erforderlich. Sie sind nicht nur überflüssig, sondern können sogar schädlich sein. In den Vereinigten Staaten sind sie die Hauptursache für ständige Blasen- und Scheideninfektionen. Ein Gynäkologe bemerkte zu diesem Thema: »All die Frauen, die Scheidenduschen verwenden, zahlen meine Hypothek.«

Der G-Punkt

Der G-Punkt wurde von dem Gynäkologen Ernst Grafenberg entdeckt. Der G-Punkt ist ein weiterer unsichtbarer Teil der weiblichen Anatomie. Er befindet sich in dem Gewebe über der Scheidenwand, die die Harnröhre umgibt, also an der Bauchseite. Der G-Punkt, ein Bereich aus weichem, oft wulstigem Gewebe, hat etwa die Größe eines Fünfpfennigstücks und ist als kleine Beule fühlbar, wenn die Frau erregt ist.

Geheimtipp aus Lous Archiv

Ein Mann beschrieb den G-Punkt so: »Manchmal fühlt er sich wie eine Bohne an, manchmal eher wie eine Erbse. Zu Anfang ist er glatt und wird dann ›strukturiert‹.«

Manche Frauen können durch die direkte Stimulation dieses Bereichs zum Orgasmus kommen, was bei ihnen auch zur Ejakulation führen kann. Darauf werde ich auf Seite 199 noch näher eingehen, wenn ich den weiblichen Orgasmus beschreibe. Quelle des weiblichen Ejakulats sind die Drüsen, die sich zu beiden Seiten der Harnröhre befinden. Aus diesem Grund denken manche Menschen auch, dass es sich bei der austretenden Flüssigkeit um Urin handelt. Diese Drüsen verhalten sich wie Speicheldrüsen und geben bei Stimulation Flüssigkeit ab. Alle Frauen haben dieses Schwammgewebe an der Harnröhre (den G-Punkt), aber nicht alle reagieren gleich auf seine Stimulation. Bei manchen Frauen fühlt sich der G-Punkt nicht anders an als das übrige Scheideninnere, während andere bei der Stimulation dieses Bereichs höchste Erregung verspüren. Die Lokalisierung des G-Punkts kann sich allerdings schwierig gestalten. Ich kenne eine Sexualtherapeutin, die Probleme hatte, den eigenen G-Punkt zu finden, obwohl sie sich mit ihrem Körper sehr wohl fühlte und all seine Teile kannte. Ihr Partner musste ihr erst zeigen, wo er sich befindet. In manchen Fällen ist es wirklich wie die Suche nach dem heiligen Gral, aber wenn Sie geduldig und einfühlsam sind, werden Sie gemeinsam ihren G-Punkt finden. Glauben Sie mir.

Geheimtipp aus Lous Archiv

Wenn Sie Gleitmittel auf Wasserbasis verwenden, hier ein kleiner Tipp: Wenn Sie feststellen, dass Ihr Gleitmittel aufgrund von Verdunstung etwas klebrig oder dick wird, wird seine volle Gleitfähigkeit durch ein paar Tropfen Wasser wieder hergestellt. Es gibt also mehr als einen Grund, sich ein Glas Wasser neben das Bett zu stellen.

Gleitmittel für grenzenlosen Spaß zu zweit

Gleitmittel sind eine der besten Erfindungen des Menschen und Sie sollten Sie nach Herzenslust verwenden. Ein Broker aus Cleveland meinte: »Ich hatte keine Ahnung, dass man mit dem Inhalt dieser kleinen Flaschen so viel Spaß haben kann.« Manchmal scheuen sich sowohl Männer als auch Frauen, ein Gleitmittel zu verwenden, weil sie meinen, dass dieses glitschige Zeugs ein Zeichen mangelnden sexuellen Könnens ihrerseits sei. Nachdem seine Freundin eins meiner Seminare besucht hatte, rief mich ein Mann an und fragte, warum seine Partnerin »dieses Zeug« brauche. Ich wusste, dass er damit im Grunde fragte: »Was mache ich falsch, dass ich sie nicht genug errege?« Ich möchte Ihnen hier sagen, was ich auch ihm geantwortet habe: Es gibt viele verschiedene Faktoren, die sich auf die Fähigkeit der Frau, feucht zu werden, auswirken, und die sexuelle Erregung ist nur einer dieser Faktoren.

Geheimtipp aus Lous Archiv

Frauen werden auch feucht, wenn sie schlafen. Dies ist charakteris-
tisch für den REM-Schlaf (die Tiefschlafphase).

Das Schleimhautgewebe der weiblichen Genitalien ist eins der
zartesten Gewebe des weiblichen Körpers überhaupt, und selbst
wenn die Frau durch Stimulation ganz feucht und gleitfähig ist,
wird dieser Bereich oft trocken, wenn er der Luft oder Kondomen ausgesetzt ist. Sie kann also sehr erregt sein und trotzdem
trocken werden. Wenn Sie Ihr Liebesspiel dann fortsetzen, wird
sie dabei ein unangenehmes Ziehen und Reißen verspüren. Es ist
eine Tatsache, dass manche Frauen, selbst wenn sie stark erregt
sind, nicht immer auf Kommando feucht werden. Hier kann ein
Gleitmittel Ihnen beiden zu ungestörter Lust verhelfen.

Tipps zur Verwendung von Gleitmitteln

- Speziell beim manuellen Sex tragen Sie das Gleitmittel am
  besten auf, indem Sie es durch Ihre Finger auf ihre Genitalien
  tropfen lassen, wobei Sie mit der Hand eine nach unten gerichtete Dreizackform machen (setzen Sie dazu drei Finger
  ein). Dies funktioniert aus zwei Gründen gut: (1) Das Gleitmittel wird warm, wenn es durch Ihre Hand läuft, und (2)
  die Gefühlsänderung von den warmen Fingern zur kühleren,
  feuchteren Handfläche kann sich für Ihre Partnerin toll anfühlen.
- Wenn Sie Ihre Finger lieber mit Speichel anfeuchten und vorher ein, zwei Gläser Wein oder Bier getrunken haben, sollten
  Sie bedenken, dass Alkohol den Körper austrocknet. Sie
  könnten also möglicherweise nicht so viel Speichel haben wie
  normal.

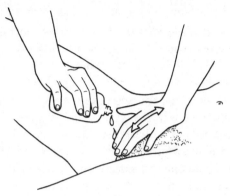

So tragen Sie Gleitmittel auf.

- Wenn Öl in das Körperinnere der Frau gelangt, kann dadurch eine Scheideninfektion ausgelöst werden. Deshalb sind ölhaltige Gleitmittel oder Massageöle nicht geeignet.

Geheimtipp aus Lous Archiv

Seien Sie vorsichtig, was das Einführen von Massageöl oder Produkten auf Zuckerbasis – dazu gehört auch Obst – in den Intimbereich Ihrer Partnerin betrifft. Diese Produkte können Scheideninfektionen hervorrufen, da sie den normalen pH-Wert der Scheide ändern.

Tipps zur Wahl des richtigen Gleitmittels

- Beachten Sie, wie Sie und Ihre Partnerin auf neue Produkte reagieren. Manche Frauen sind so empfindlich, dass sie eine Blasen- und Scheideninfektion bekommen, wenn sie nur die Toilettenpapiersorte oder die Seife wechseln.
- Denken Sie immer daran, dass Öl und Latex nicht zusammenpassen. Öl in jeder Form ist der tödliche Feind des Latexkondoms und führt oft zu Rissen. Überprüfen Sie immer

das Etikett aller Produkte, die Sie beim Liebesspiel verwenden, beispielsweise Hand- oder Massagelotionen. Wenn irgendwo unter den Wirkstoffen »Öl« aufgeführt wird, sollten Sie es auf keinen Fall zusammen mit Latexkondomen verwenden. Diese Gleitmittel sind für manuellen Sex geeignet, aber wenn Sie zum Geschlechtsverkehr übergehen und ein Kondom verwenden wollen, sollten Sie unbedingt ein Gleitmittel auf Wasserbasis verwenden.

- Wenn Sie empfindlich sind und zu Hautreizungen neigen, sollten Sie mit dem Spermizid Nonoxynol-9 aufpassen. Wie ich bereits auf Seite 53ff. beschrieben habe, kann es sowohl bei Männern als auch Frauen starke Irritationen auslösen. Dieses aggressive Spermizid findet sich in empfängnisverhütendem Schaum, in Gels und Zäpfchen und auf Kondomen.
- Überprüfen Sie immer, ob ein Produkt für den empfindlichen Genitalbereich geeignet ist. Oft steht im Kleingedruckten auf der Packung »nur zum Auftrag oder für kosmetische Zwecke« oder »Kontakt mit den Augen vermeiden«.
- Bedenken Sie, dass sich Ihre Partnerin sehr viel leichter Reizungen und Infektionen zuziehen kann als Sie. Sie ist der empfangende Partner und die von Ihnen gewählten Produkte bleiben über längere Zeit in ihrem Körperinnern.

Die besten Positionen
für die manuelle Stimulation

Es gibt vier Hauptpositionen für das manuelle Liebesspiel und bei jeder Position gibt es bestimmte Techniken, die für diese Position am besten geeignet sind. Wie bei jeder neuen Idee oder Technik sollten Sie die unten aufgeführten Vorschläge integrieren oder Ihrem vorhandenen Wissen hinzufügen. Die Zeichnungen sollen das Beschriebene noch anschaulicher machen. Wie beim Erlernen von Tanzschritten ist es nämlich schwierig zu erfassen, wie man sich bewegen muss, ohne zu sehen wie es wirklich geht. Bei allen Positionen kann der Mann engen Körperkontakt zu seiner Partnerin halten, und darauf kommt es an.

Geheimtipp aus Lous Archiv

Bei allen manuellen Techniken beginnen Sie mit einer ausholenden Bewegung und gehen dann zu kleineren, konzentrierten Bewegungen und vom langsamen zum schnelleren Tempo über. Wenn die Bewegungen zu schnell oder zu fest sind, könnte dies bei ihr ein taubes Gefühl oder Schmerzen auslösen. Steigern Sie die Intensität lieber langsam.

Die Klassiker – Positionen 1 und 5

Dabei handelt es sich wahrscheinlich um die leichtesten und unkompliziertesten Positionen, um bei der Partnerin mit der manuellen Stimulation zu beginnen, aber gleichzeitig sind es auch die Stellungen, bei denen sich bei den Liebhabern die meisten schlechten Angewohnheiten einschleichen. Eine Seminarteilnehmerin berichtete: »Wenn er auch nur eine Sekunde länger genau an dieser einen Stelle meiner Klitoris geblieben wäre, hätte ich ihn wahrscheinlich umgebracht.« Eine andere Frau meinte: »Wo steht geschrieben, dass er die Klitoris finden und wie wild reiben soll?«

Einer der Gründe, warum diese beliebten Positionen zu schlechten Angewohnheiten geführt haben, besteht darin, dass Ihnen die Pornoindustrie mit ihren Videos und Zeitschriften wahrscheinlich alles Mögliche eingeredet hat. Den Herstellern geht es darum, ihre Produkte zu verkaufen. Sie denken nicht an Ihr Vergnügen, und sie denken auf keinen Fall daran, was

Position 1

den Frauen wirklich gefällt. Sie zeigen möglichst viel »Action«, egal, ob diese funktioniert oder nicht. Im echten Leben führt zu starkes Reiben nämlich meistens zu Unbehagen bei der Partnerin statt zu lustvollem Vergnügen.

Sie können aber ganz leicht lernen, wie Sie Ihrer Partnerin Vergnügen bereiten, indem Sie die Bewegung Ihrer Finger und der Hand, das Tempo und den Druck kunstvoll variieren. Nach dem Auftragen des Gleitmittels oder dem Anfeuchten der Finger mit Speichel können Sie Ihre Finger oder die gesamte Handfläche in einer Kreisbewegung (1) einsetzen, um das Gleitmittel gleichmäßig zu verteilen, und (2) mit einer weiträumigen Streichelbewegung ihren ganzen Intimbereich etwas anwärmen. Am besten beginnen Sie mit langsamen, großen Bewegungen und reduzieren dann den Stimulationsbereich, wenn die Erregung bei Ihrer Partnerin stärker wird.

Bei den Positionen 1 und 5 handelt es sich um zwei Stellungen, bei denen man sich gut küssen und miteinander schmusen kann. In beiden Positionen ist es ratsam, den Handballen (und das Handgelenk) auf ihren Venushügel aufzulegen (der Bereich, wo die Schambehaarung beginnt) und dort leichten

Position 5

Druck auszuüben. Sie sollten den Beckenknochen unter Ihrem Handballen spüren. Auf diese Weise werden außerdem Ihr Handgelenk und Arm stabilisiert. Mit anderen Worten: Wenn Sie Arm und Hand in der Luft halten, ermüden Sie schneller, was die Beweglichkeit Ihrer Finger einschränkt. Wenn Ihr Handgelenk hingegen verankert ist, können Sie die sanften Kreisbewegungen und Hin- und Herbewegungen, die Frauen bevorzugen, besser und länger ausführen.

Sie können Zeige- und Mittelfinger auch in einer geraden Auf- und Abbewegung und/oder Kreisbewegung einsetzen, wobei sich der Klitorisbereich und die Spitze der Klitoris zwischen Ihren Fingern befindet. Frauen setzen diese Technik oft ein, um sich selbst zu stimulieren.

Wenn Sie sich bei dieser Stellung mit Ihrem Penis in Ihrer Scheide befinden, versuchen Sie, Ihren Beckenbodenmuskel pulsieren zu lassen, sodass Ihr Penis pumpt. Eine Frau erzählte: »Er hebt irgendwie seinen Penis an, wenn er von hinten in mich eingedrungen ist, und das fühlt sich wahnsinnig toll an. Ich habe dann das Gefühl, dass er mich ganz ausfüllt.«

Eins, Zwei, Drei

Diese Bewegung funktioniert am besten, wenn Sie sich hinter ihr oder auf ihr befinden. Beginnen Sie mit drei Fingern, die Sie zusammenhalten und über die inneren und äußeren Schamlippen krümmen. Halten Sie den Zeigefinger und Ringfinger am Außenrand der äußeren Schamlippen, während der Mittelfinger auf dem gesamten Klitorisbereich und der Knospe ruht. Der Vorteil, mit allen drei Fingern zu beginnen, liegt darin, dass dabei die Klitoris nicht »geschockt« wird. Stattdessen bauen Sie die Empfindungen um sie herum auf. Und da Ihre Hand Ihre Partnerin vor der Luft schützt, spürt sie die Wärme Ihrer Hand direkter und bleibt länger feucht.

Führen Sie jetzt eine sich wiederholende langsame Auf- und Abbewegung oder Kreisbewegung aus (Sie könnten die Buchstaben des Alphabets nachmalen, wenn Sie eine Anregung brauchen, wie Sie Ihre Finger bewegen sollen). Ein Seminarteilnehmer bemerkte dazu: »Die meisten Frauen reagieren auf diese Bewegung, indem sie die Scheidenmuskulatur anspan-

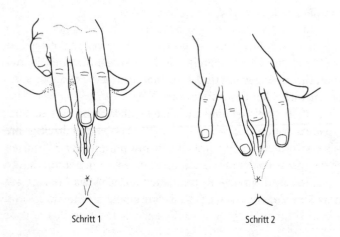

Schritt 1   Schritt 2

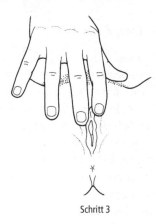

Schritt 3

nen, während der Mann seine Finger hin und her bewegt.« Dann gleiten Sie leicht mit dem Mittelfinger in die Scheide. Schließlich führen Sie mit Zeige- und Mittelfinger einige kurze Bewegungen über den Klitorisbereich hinweg aus, wobei Sie die Finger vor und zurück bewegen, sie leicht zusammendrücken oder pulsierend auf und ab bewegen.

Position 2

Diese Position wird von Männern bevorzugt, die den Po ihrer Partnerin lieben. Ein Marketing-Manager aus Portland, Oregon, meinte: »Ich liebe die runden Formen ihres Hinterns. Ich kann mit ihr spielen und gleichzeitig ihre Muschi riechen.« Aufregend ist an dieser Stellung auch, dass er gleichzeitig ihre Brüste streicheln kann. In dieser Position kann der Mann seinen Daumen von hinten vorsichtig in ihre Scheide einführen und damit eine Kreisbewegung ausführen. Man benutzt am besten den Daumen, weil er viel kräftiger ist als die Finger und so eine längere Stimulation möglich wird. Diese Position ist

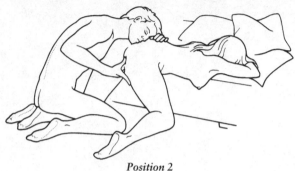

Position 2

zudem eine großartige Stellung zur Erforschung ihres G-Punkts. Probieren Sie eine kurvige Streichelbewegung, bei der Sie mit dem Mittel- und Zeigefinger leichten Druck auf die Vorderwand der Scheide ausüben. Der G-Punkt wird leichter fühlbar, je erregter Ihre Partnerin wird. Und wenn Ihre Partnerin anale Spielereien mag, bietet diese Stellung eine gute Möglichkeit, damit zu beginnen.

Bevor Sie sich ihrer Vulva widmen, können Sie langsam prickelnde Empfindungen auf der Rückseite ihrer Oberschenkel, in ihren Kniekehlen und im Rückenbereich aufbauen. Beginnen Sie mit der flachen Hand und ausgestreckten Fingern, sodass Sie einen möglichst großen Bereich stimulieren können. Dann grenzen Sie den stimulierten Bereich ein, indem Sie die Bewegungen nur mit den Fingerspitzen ausführen. Wenn es Ihrer Partnerin gefällt, können Sie die Bewegung dann noch stärker reduzieren, indem Sie sich auf den Klitorisbereich und die Klitorisknospe konzentrieren. Die meisten Männer sagen, dass das Streicheln am besten mit gekrümmtem Zeige- und Mittelfinger funktioniert, während sich der Klitorisbereich der Länge nach zwischen den beiden Fingern befindet. Und denken Sie daran, auch die freie Hand zu benutzen, indem Sie mit ihr über den Körper Ihrer Partnerin wandern!

Position 3

Position 3

Das Schöne an dieser Position ist, dass der Körper Ihrer Partnerin mit Ihrem Körper »verschmelzen« kann. Dies ist eine Lieblingsposition derer, die gerne beobachten und sich beim Sex unterhalten. In dieser Position gibt es eine ganze Reihe von Techniken, aber natürlich sollten Sie auch Ihre Lieblingsbewegungen und das, was Ihre Partnerin bevorzugt, in das Liebesspiel einbauen.

Das Feuer entfachen

Hier wird Ihre Partnerin Ihr Können wirklich zu schätzen wissen, wenn Sie sie allein mit einer Drehbewegung des Daumen in Extase versetzen. Tragen Sie ein wenig Gleitmittel auf Daumen und Zeigefinger auf und üben Sie eine leichte Dreh-

Das Feuer entfachen

bewegung aus. Achten Sie darauf, dass der Druck anfänglich nur leicht ist. Wie bei jeder Technik sollten Sie vorher fragen, ob sie es ausprobieren möchte.

Doppelter Liebesdienst

Bei dieser Variation von Position 3 befinden sich die Arme des Mannes zu beiden Seiten der Frau. Er kann eine kräftige, nach oben gerichtete Streichelbewegung ausführen, wobei er mit der Schenkelinnenseite beginnt und sich in Richtung Genitalien vorarbeitet. Die Idee, die dieser Bewegung zugrunde liegt,

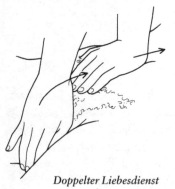

besteht darin, die Partnerin zu entspannen, damit sie mit Ihrem Körper »verschmelzen« kann. Eine Frau berichtete: »Ich fühle mich sehr sicher dabei, obwohl ich mich für ihn ganz öffne.« Sie können Ihrer Partnerin in dieser Stellung aufregende Gefühle im gesamten Genital- und Beckenbereich bescheren.

Doppelter Liebesdienst

Geheimtipp aus Lous Archiv

Die Größe der weiblichen Klitoris hat, genau wie die Penisgröße des Mannes, nichts mit ihrem Lustempfinden zu tun.

Drehen auf dem Tanzboden

Bei dieser Technik wird eine sehr leichte Kreisbewegung um die Klitoris und die Schamlippen ausgeführt. Zuerst fahren Sie einfach um ihre Genitalien herum, bevor Sie anschließend die-

selbe Bewegung wiederholen und dabei leicht an den Schamlippen ziehen. Mit dieser ziehenden Bewegung wird die Spannung erhöht, da die gedehnte Haut empfindsamer ist. Manchmal verwenden Paare dabei auch einen Eiswürfel. Zu Anfang
ist es allerdings besser, ihn nur für zehn bis zwanzig Sekunden
an der Außenseite der Scham-
lippen entlangwandern zu
lassen. Eine Frau berichtete:
»Mein Mann hat es einmal
gemacht, und es war absolut
wahnsinnig. Es war sehr kalt,
aber als er mich anschließend
mit dem Mund befriedigt hat,
hat er sich noch nie so heiß
angefühlt. Es war der krasse
Temperaturunterschied, der so

Drehen auf dem Tanzboden

toll war.« Ein Seminarteilnehmer erzählte, dass diese Technik
»sehr erfolgreich ist. Man wird dazu angeregt, sich Zeit zu lassen.« Manche Frauen mögen dieses kalte Gefühl jedoch nicht
und Sie sollten Ihre Partnerin nicht damit erschrecken.

Das raffinierte Y

Breiten Sie die Schamlippen mit zwei
Fingern einer Hand aus, legen Sie die
andere Hand darauf und positionieren
Sie den Mittelfinger oder zwei Finger
so, dass Sie die Klitoris mit einer Kreis-
oder Auf- und Abbewegung massieren
können. Diese Technik ist toll, weil sie
die Hände nicht ermüdet. Außerdem
empfindet Ihre Partnerin ein angenehm
»weites« Gefühl, wenn Sie Ihre Hände

Das raffinierte Y

und nicht nur einen Finger spürt. Sie können auch einen größeren Bereich liebkosen. Zur Verstärkung können Sie einen oder
zwei gekrümmte Finger in die Scheide einführen und wieder
herausziehen.

Position 4

Diese Position ist ideal für jene Augenblicke geeignet, wenn die
Dame das Gefühl haben möchte, »allein zu sein«. Manche
Paare bevorzugen es, wenn die Frau dabei ein Bein auf die
Schulter des Mannes legt, um enger miteinander in Kontakt zu
bleiben, während sie sich ganz auf das konzentriert, was er tut.
Sie können besser sehen, was Sie tun, und Sie schonen Ihren
Rücken, wenn Sie dabei niedriger sitzen. Probieren Sie diese
Technik zur Abwechslung doch mal auf der Treppe aus, die Sie
mit Kissen abpolstern. Ihre Partnerin kann ihren Oberkörper
mit einem Laken zudecken, falls es ihr kalt werden sollte.

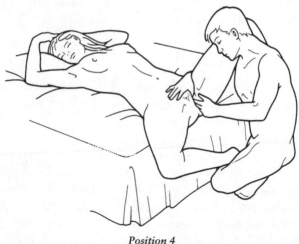

Position 4

Geheimtipp aus Lous Archiv

Die besten Handbewegungen werden wiegend und kreisförmig ausgeführt. Einige, aber nicht alle Frauen mögen es, wenn leicht auf die Klitorisknospe geklopft wird. Fragen Sie Ihre Partnerin lieber, bevor Sie es versuchen.

Die Auster

Diese Bewegung wird aus zwei Gründen am besten in Position 4 ausgeführt: (1) Sie haben mehr Bewegungsfreiheit und (2) Sie können sich auf Ihre Partnerin konzentrieren, während diese sich ganz dem Genuss hingibt. Berühren Sie ihren gesamten Genitalbereich so, als handle es sich um weichen, warmen Ton, den Sie mit den Händen formen. Halten Sie ein Gleitmittel bereit, da Ihre Partnerin bei dieser Position die Beine weit öffnen muss. Achten Sie auch hier wieder darauf,

Die Auster

dass Ihre Nägel nicht zu lang sind. Es ist die langsame Steigerung der Erregung, die sie zum Wahnsinn treiben wird.

Der Bildhauer

Bei dieser Technik wechseln Sie zwischen zwei Platzierungen der Hände ab – statisch, das heißt, die Hände bleiben an Ort und Stelle, und dynamisch, wobei Sie die Haltung der Hände ändern. Die Frauen in den Seminaren sind von beiden Varianten voll begeistert.

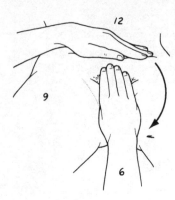

Der Bildhauer

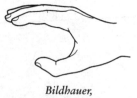

Bildhauer,
statische Position – das große
»C«

Statische Position: Ihre Hand formt bei der statischen Variante dieser Technik ein großes »C«. Für die richtige Haltung des Daumens stellen Sie sich eine Uhr über der Vulva Ihrer Partnerin vor. Der Daumen taucht bei der Position sechs Uhr in der Scheide und die Daumenspitze krümmt sich dann in Richtung zwölf Uhr. Dabei gilt es einige wichtige Dinge zu beachten: (1) Mit der Haut zwischen Daumen und Zeigefinger und der Innenseite Ihres Zeigefingers können Sie ein besonders aufregendes Gefühl erzeugen, wenn Sie eine kreisförmige, wiegende »C«-Bewegung machen. (2) Die Innenkante Ihres Daumens kann so auch einen erregenden Druck auf den G-Punkt ausüben. Halten Sie dazu einen leichten, nach oben gerichteten Druck in Richtung Nabel an der oberen Scheidenwand aufrecht. Dieses Gefühl kann noch intensiviert werden, indem Sie (3) Ihre andere Hand benutzen, um leicht von außen im Bereich der Schambehaarung auf ihren Bauch zu drücken. Sie sollten dabei den leichten Druck Ihrer Daumenseite durch ihren Bauch spüren können. Während Sie die wiegende »C«-Bewegung ausführen, versuchen Sie, die »C«-Finger auszubreiten und Druck auf den Venushügel auszüüben. Viele Frauen genießen diesen Druck, während sie stimuliert werden.

Dynamische Position:
Bei der dynamischen
Position bewegt sich Ihr
Daumen von der Zwölf-
Uhr-Position weg und
nimmt in einer fortge-
setzten Bewegung alle
Positionen von zwölf bis
sechs ihrer imaginären
Uhr ein. Wenn Sie sechs
Uhr erreichen, ziehen Sie
sanft den Daumen aus
der Scheide heraus und
führen stattdessen den
Zeige- und den Mittelfin-
ger ein, um den Zyklus
bis zur Zwölf-Uhr-Posi-
tion zu vervollständigen.
Dehnen Sie mit der freien
Hand die Haut ihres
Bauches leicht nach oben
in Richtung Nabel, um
so ihre Empfindungen zu
verstärken.

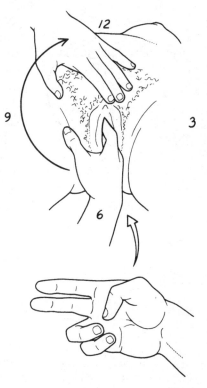

*Bildhauer, dynamische Position –
nach sechs Uhr*

Geheimtipp aus Lous Archiv

Beim »Sex mit dem Finger« kann bei Ihrer Partnerin das Gefühl entstehen, sie würde mit einem Stock gestoßen. Seien Sie deshalb besonders sanft und kombinieren Sie die direkte Stimulation des G-
Punkts am besten mit der Liebkosung anderer erogener Zonen.

Den G-Punkt locken

Bei dieser Technik gibt es ebenfalls zwei Varianten für die Platzierung der Hände.

Komm her«-Bewegung

Position A: Führen Sie Zeige- und Mittelfinger in ihre Scheide ein und machen Sie mit ihnen eine »Komm her«-Bewegung in Richtung ihrer G-Punkt-Region. Der G-Punkt befindet sich über der Scheidenwand, und Sie können deshalb die Empfindung für Ihre Partnerin erhöhen, indem Sie von außen vorsichtig mit der flachen Hand auf ihren Bauch drücken.

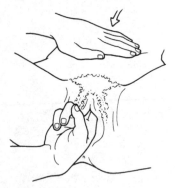

Den G-Punkt locken, Position A

Position B: Denken Sie daran, dass Ihre obere Hand nicht zu viel Druck ausübt. Achten Sie auf diese drei Punkte: Benutzen Sie den Mittelfinger oder Daumen, um ihren Klitorisbereich zu stimulieren, während die Finger der anderen Hand ihren G-Punkt streicheln und der Handballen der oberen Hand den sanften Druck aufrechterhält.

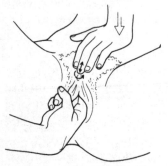

Den G-Punkt locken, Position B

Froschkönig

Erinnern Sie sich noch an den Schwimmunterricht als Kind? Sie werden bei dieser Technik mit Zeige- und Mittelfinger in der Scheide Ihrer Partnerin eine Bewegung machen, die dem Beinschlag eines Frosches ähnelt. Ihre Hand ist dabei entweder senkrecht oder waagrecht ausgerichtet. Diese Technik ist so erregend für sie, weil die Scheidenwand an verschiedenen Stellen unterschiedlich empfindsam ist. Sie können zusätzlich die beiden Finger aus der Scheide heraus- und wieder hineingleiten lassen, sodass Sie beide Seiten der Scheidenwand fühlen können.

Tipps für perfekten Sex mit den Händen

- Schwirren Sie mit Ihren Fingern nicht umher wie eine Brieftaube. Wenn Ihre Partnerin ihre Hüften ein wenig bewegt, will sie damit sagen, dass Sie *genau* dort bleiben sollen. Kehren Sie also bitte nicht an den Punkt zurück, von dem sie Ihre Finger gerade wegbewegt hat.
- Versuchen Sie, eingefahrenes Muster (Küssen der Lippen, Streicheln der Brustwarzen, Berührung der Genitalien) zu vermeiden und nicht immer das Gleiche zu tun. Die meisten Frauen empfinden dies nicht als entspannend oder stimulierend.
- Der Fingertest zwischen ihren Beinen, um festzustellen, ob sie »so weit ist«, gibt Frauen das Gefühl, wie eine Maschine behandelt zu werden. Die Lösung: Achten Sie lieber auf ihre Atmung. Je regelmäßiger sie ist, desto tiefer und entspannter wird ihre Atmung. Diese Veränderung ihrer Atmung zeigt Ihnen, dass die mentale »Last« langsam von ihr abfällt.
- Eine Frau wird innerhalb von dreißig Sekunden in der Scheide feucht, wenn sie mental oder körperlich stimuliert

wird. Manche Frauen werden von Natur aus stark feucht.
Das ist jedoch individuell sehr verschieden und wird auch
davon beeinflusst, wie viel Wasser ihr Körper enthält, ob sie
Medikamente einnimmt, in welcher Phase ihres Monatszyklus sie sich befindet oder ob sie in den Wechseljahren ist.

• Vermeiden Sie es, sofort auf die »Aktionspunkte« (Brüste
und Genitalien) zuzugehen. Denken Sie daran, dass ihre
Haut ihr größtes Geschlechtsorgan ist, was Sie unbedingt
ausnutzen sollten. Liebkosen Sie ihren ganzen Körper und
setzen Sie den erotischen »Wirbel« ein.

Die manuelle Stimulation kann sehr weit führen, aber viele
Frauen lieben es, wenn danach die intimste Geste des Mannes
folgt und er sie »dort unten« küsst. Daher geht es im nächsten
Kapitel um die wunderbaren Genüsse, die Ihre Zunge ihr schenken kann.

6. Kapitel

Heiße Zungenspiele: So versetzen Sie Ihre Partnerin in Ekstase

Oralsex für Liebhaber und alle, die es werden wollen

Ihr Mund kann bei Ihrer Partnerin mehr Empfindungen erzeugen als jeder andere Körperteil. Wenn man Frauen fragt und diese die Frage ehrlich beantworten, werden sie zugeben, dass es sie am heißesten macht und bei ihnen zum tollsten Orgasmus führt, wenn der Partner es versteht seine Zunge spielen zu lassen. Die Frauen, die an meinen Seminaren teilnehmen, erzählen oft sehnsüchtig von dem Mann, der gut beim oralen Sex ist. Eine Frau berichtete: »Ich liebe es, wenn er zwischen meinen Beinen ist. Es gibt nichts Besseres.« Und eine andere: »Ich kann nicht beschreiben, was er gemacht hat, aber es war einfach phänomenal! Ich wusste, dass ihm wichtig ist, was wir Frauen empfinden. Es war ihm egal, wie lange es dauerte. Ich muss zugeben, dass seine Technik einfach sagenhaft war.«

Ein weiteres Zeugnis der verführerischen Macht der Zunge stammt von einer Fachfrau für Werbung aus Seattle: »Das Gute an oralem Sex ist die Tatsache, dass man sich anschließend nicht wund fühlt. Wenn er mich oral befriedigt, sind seine

Zunge und sein Mund so heiß und weich, dass es gleichzeitig beruhigend und erregend ist.«

Muss ich noch mehr sagen?

Da ich der Meinung bin, dass man alles, was man tut, auch wirklich gut machen sollte, enthält dieses Kapitel Informationen, die Sie zum absoluten Experten in Sachen Oralsex machen, der jeder Frau den Atem nimmt, wenn sie sieht, wie er sich die Lippen leckt.

Mir ist klar, dass einigen unter Ihnen das Thema insgesamt unangenehm sein wird. Einige werden es vielleicht sogar ganz vermeiden. Natürlich haben Sie das gute Recht, Dinge, die Ihnen unangenehm sind, zu lassen, aber ich werde hier vielleicht Gründe entkräften, die Sie oder Ihre Partnerin bisher davon abgehalten haben, oralen Sex zu genießen. Aber wenn Sie nach dem Lesen dieses Kapitels immer noch zögern, Ihre Partnerin oral zu befriedigen, sollten Sie diesbezüglich ehrlich sein. Erklären Sie Ihre Einstellung ruhig und höflich. Frauen nehmen Ihre Ablehnung sehr persönlich, wenn Sie dieses sensible Thema nicht mit Glacéhandschuhen anfassen. Denken Sie auch daran, dass Frauen spüren, wenn ein Mann keinen Spaß dabei hat, und sie wollen nicht, dass er etwas tut, was er nicht genießt.

Aber viele Frauen fühlen sich auch in Bezug auf oralen Sex unwohl, weil sie das Gefühl mit sich herumtragen, dass ihr Genitalbereich schmutzig sei und dass Männer oralen Sex deshalb unangenehm finden. Das haben wir denjenigen zu verdanken, die die Scheidenduschen erfunden und damit die negativen oder schamhaften Gefühle bezüglich der weiblichen Geschlechtsteile noch verstärkt haben. Dabei reinigt sich der Genitalbereich einer gesunden Frau tadellos von selbst, wie ich bereits beschrieben habe. Ironischerweise ist der Geschlechtsverkehr der Hauptgrund für die meisten genitalen Probleme der Frau. Speziell Hefepilz- und Blaseninfektionen sowie sexuell übertragbare Krankheiten entstehen erst dadurch, dass eine Fremdsubstanz (das männliche Sperma) in den Körper der Frau gelangt und ihr biologisches Gleichgewicht stört. Wie Sie bereits in den vorhergehenden Kapiteln erfahren haben, können Frauen auch unter Reizungen durch das Spermizid Nonoxynol-9 leiden. Ein Experte auf diesem Gebiet erklärte:»Frauen, die keinen Sex haben, haben die gesündesten Scheiden.«

Ich habe jedoch auch mit Frauen gesprochen, die Angst haben, im Genitalbereich schlecht zu riechen oder zu schmecken. Wenn eine Frau sich regelmäßig wäscht und keine Infektion hat, ist dies jedoch nicht der Fall. Allerdings ist das Ganze auch sehr individuell – was eine Frau selbst unangenehm findet, macht ihren Partner vielleicht gerade richtig an – schließlich gibt es Pheromone genau aus diesem Grund. So wie sie von Ihrem männlichen Geruch angezogen wird, werden Sie von ihrem weiblichen Geruch angezogen.

Faktoren, die sich darauf auswirken können, wie Ihre Partnerin schmeckt:
- Vitamine
- Medikamente
- Ernährung
- die Phase ihres Monatszyklus
- Infektionen
- wie viel Wasser ihr Körper enthält
- stark gewürzte Nahrungsmittel
- Alkohol, Drogen oder Tabak

Geheimtipp aus Lous Archiv

Bei einem Pheromon handelt es sich um einen Duftstoff, d.h. um ein chemisches Mittel zur Kommunikation zwischen Tieren, das durch den Geruchssinn aufgenommen wird. Pheromone können sich auf die Entwicklung, Fortpflanzung und das Verhalten auswirken.

Es ist für Sie und die Frau in Ihrem Leben wichtig, einige alte Märchen zu vergessen, denen zufolge oraler Sex schmutzig und abartig ist. Manche Männer und Frauen glauben dies immer noch, und ich meine, dass sie dadurch einige der schönsten Erfahrungen, die zwischen zwei Menschen möglich sind, verpassen. Wenn es so »unnatürlich« ist, warum gehen dann männliche Tiere ganz automatisch mit der Schnauze auf die Genitalien des Weibchens zu?

Es liegt an Ihnen, die Hemmungen Ihrer Partnerin und auch die eigenen abzubauen. Denn dann erwarten Sie beide viel Spaß und nie gekannte Intimität.

Geheimtipp aus Lous Archiv

Nicht alle Frauen können beim Kunnilingus zum Orgasmus kommen, genau wie nicht alle Männer bei der Fellatio den Höhepunkt erreichen.

Die Mehrzahl der Männer, die wahre Meister des oralen Sex sind, hat dies von Frauen gelernt – nicht durch pornografisches Material oder von Freunden. Warum? Weil Porno-Filme und -Hefte zu ungenau sind und Cunnilingus (Oralsex bei ihr) als lange Zunge darstellen, die irgendwie in die grobe Richtung der weiblichen Anatomie zeigt. Meistens befindet sich diese Zunge nicht einmal in der Nähe der Klitoris. Ein weiteres Problem, das Männer mir anvertraut haben, besteht darin, dass sie sich mit der weiblichen Anatomie nicht so gut auskennen. Dies ist durchaus verständlich und deshalb beschreibe ich in Kapitel fünf die weiblichen Genitalien so ausführlich. Wenn Sie nämlich wissen, dass die Klitoris unter einer Hautfalte verborgen ist, wissen Sie, worauf Sie sich konzentrieren sollten und warum sie durch Stimulation stärker durchblutet wird und unter der Vorhaut heraustritt.

Einer der großen Fehler beim oralen Sex liegt darin, die Klitoris (speziell in der Anfangsphase) direkt mit der Zunge zu reizen. Die meisten Frauen finden die Berührung zu stark und unangenehm. Manche Frauen haben zwar ihren Spaß daran, aber meistens erst, wenn sie bereits ausreichend stimuliert wurden. Es ist besser, zu Anfang den ganzen, warmen Mund einzusetzen, dann ein wenig mit der Zunge zu kitzeln und dann wieder den ganzen Mund einzusetzen. Ein Seminarteilnehmer machte folgenden Vorschlag: ›Man arbeitet‹ sich in Richtung Klitoris vor, indem man mit der Zunge die Innenseiten der Oberschenkel streichelt und sich nach oben zum Beckenknochen bewegt, wo man ein wenig mehr Druck ausübt.‹«

Geheimtipp aus Lous Archiv

Es ist durchaus möglich, dass sich Frauen der Symptome einer Scheideninfektion nicht bewusst sind. Die bakterielle Vaginitis ist eine Erkrankung, bei dem sich das natürliche Gleichgewicht der Organismen in der Scheide ändert. Ihre genaue Ursache ist nicht bekannt. Frauen, die die Symptome kennen, klagen am meisten über den unangenehmen oder »fischigen« Geruch. Dieser Geruch verstärkt sich häufig nach dem Geschlechtsverkehr. (Bei Hefeinfektionen ist normalerweise kein Geruch vorhanden.) Wird die bakterielle Vaginose nicht behandelt, kann es zu Komplikationen kommen, z.B. abnormale Abstriche und das erhöhte Risiko einer Beckenentzündung. Bei Schwangeren wurden Frühgeburten und ein geringes Geburtsgewicht des Säuglings mit Scheideninfektionen in Zusammenhang gebracht. Es stehen verschiedene antibakterielle Medikamente zur Behandlung zu Verfügung.

Drei Dinge können passieren, wenn Sie Ihre Partnerin nur mit der Zunge liebkosen: (1) Ihre Zunge wird trocken, (2) Ihre Partnerin wird trocken und (3) Ihre trockene Zunge reibt an ihrer Klitoris, was nicht angenehm ist. Eine Frau beschrieb das

Ganze so: »Was ist los mit diesen Männern, die nur ihre Zunge benutzen? Warum halten sie sich so auf Abstand? Haben sie Angst davor, uns mit dem Mund nahe zu kommen? Sie sollten lieber so an uns saugen, wie sie es sich umgekehrt auch von uns wünschen.«

Wichtig ist es zu wissen, was Ihre Partnerin mag und, meine Herren, vielleicht kennt sie ihren eigenen Körper nicht. Als leidenschaftlicher Liebhaber ist es Ihre Aufgabe, ihr dabei zu helfen, die eigene Lust zu entdecken.

Pflege und Hygiene

Wenn eine Frau ihren Partner gern zu oralem Sex anregen möchte, sollte sie regelmäßig baden oder duschen und ihren Genitalbereich gewissenhaft reinigen. Wenn Sie sich sorgen, dass Ihre Partnerin nicht so duftig frisch sein könnte, wie Sie es sich wünschen, könnten Sie auch eine gemeinsame Dusche vorschlagen. Eine Seminarteilnehmerin berichtete, dass ihr Freund sie aufs Bett legt, ihr Kleid hochschiebt und sie langsam und liebevoll mit einem warmen, feuchten Waschlappen wäscht. Wenn er damit fertig ist, sind beide schon ziemlich stark erregt. Sie meinte dazu: »Ich habe dann das Gefühl, dass er mich voll und ganz akzeptiert, was mich wahnsinnig anmacht.«

Wenn Sie die Waschlappenmethode ausprobieren, sollten Sie daran denken, keine Seife zu verwenden. Der pH-Wert von Seife entspricht nicht dem natürlichen pH-Wert des weiblichen Körpers. Durch Seife wird das natürliche Säuregleichgewicht gestört, das dafür sorgt, dass fremde, infizierende Substanzen abgewehrt werden können. Wenn Sie sich fragen, wie Sie Ihrer Partnerin taktvoll mitteilen können, dass sie stark riecht oder schmeckt, sagen Sie ihr einfach, wann sie das letzte Mal besonders *gut* geschmeckt hat.

Geheimtipp aus Lous Archiv

Wenn Ihre Partnerin ihr Schamhaar rasiert, müssen Sie bei nach-
wachsendem Haar beim oralen Sex und Geschlechtsverkehr vorsichtig sein. Ihre Stoppeln könnten Ihnen wehtun.

Von Haaren und Bärten

Manche Männer mögen Frauen mit starker Schambehaarung.
Die Frau eines Fernsehstars berichtete: »Er wäre total begeistert, wenn ich nie meine Beine, Achselhöhlen oder Schambehaarung rasieren würde. Ich bin diejenige, die es lieber haarlos
mag.« Andere Männer wiederum bevorzugen eine weniger
starke Schambehaarung. Die aktuellen »Modetrends« sind (1)
nackte Schamlippen, (2) haarloser Bereich zwischen den Pobacken und (3) ein kleines Dreieck oder schmales Haarband.
Manche Frauen lassen bei besonderen Anlässen die Schamhaare mit Wachs in witzigen Formen entfernen – Herzen zum
Valentinstag oder Kleeblätter zum St. Patrick's Day sind Bei-
spiele dafür. Dafür ist allerdings eine fachmännische Behandlung erforderlich. Eine Seminarteilnehmerin erzählte, dass sie
zu besonderen Gelegenheiten ihr Schamhaar mit Goldpuder
(passend zur Reizwäsche) einpudern lässt. Nach einer heißen
Nacht ging ihr Freund am nächsten Morgen zu einem Basket-
ball-Spiel. Als er das Spielfeld betrat, fragten die anderen Mit-
spieler, was er da auf dem Gesicht habe. Richtig geraten – es
war ihr Goldstaub. Wenn Ihre Partnerin also Puder aufträgt,
sollten Sie am nächsten Tag in den Spiegel schauen, bevor Sie
in die Öffentlichkeit gehen.

Da wir gerade beim Thema Haar sind, möchte ich noch auf
Ihre Gesichtsbehaarung zu sprechen kommen. Sorgen Sie dafür, dass Ihr Gesicht glatt wie ein Babypopo ist. Fahren Sie mit

der Innenseite Ihres Handgelenks über Ihre Bartstoppeln, speziell im Bereich unterhalb der Unterlippe. Wenn sie dabei etwas spüren, wird es auch für Ihre Partnerin eine kratzige Angelegenheit. Eine Frau mit besonders empfindlicher Haut erzählte, dass sie nach einer Liebesnacht einen schmerzhaften Ausschlag an der Innenseite der Oberschenkel davontrug! Kurze Schnurrbärte und »Ziegenbärte« können besonders stark reizen, daher ist längeres Barthaar im Allgemeinen vorzuziehen.

Geheimtipp aus Lous Archiv

Wenn Sie Bedenken haben, dass Schamhaare in Ihrem Mund landen könnten, streichen Sie vorher über ihr Schamhaar. Sie wird dies als angenehmes Streicheln empfinden, und Sie können so unauffällig lose Haare entfernen.

Aber Barthaar kann auch sehr erotisch sein, wie eine Anekdote aus einem Seminar zeigt. In einer Gruppe von fünfunddreißig Männern fragte ich die drei anwesenden Bartträger, ob sie ihren Bart schon mal als Instrument beim oralen Vorspiel benutzt hätten. (Bitte bedenken Sie, dass sich diese drei Männer nicht kannten.) Sie schauten einander schüchtern an und lächelten dann. Gemeinsam nickten sie. Dann verkündete einer, ein kräftiger Lastwagenfahrer, während er sich dabei über den Vollbart strich: »Ich verwende sogar eine Haarspülung für meinen Bart, damit er schön weich ist.«

Geheimtipp aus Lous Archiv

In Frankreich wird der intime Duft einer Frau galant als »cassolette« (Wohlgeruch) bezeichnet.

Das Anheben der Klitorisvorhaut

Bei jenen Damen, die die direkte Stimulation der Klitoris lieben, müssen Sie die umgebende Haut, die der Vorhaut des Penis ähnelt, vorher anheben, um die Klitoris optimal zu erreichen. Hier einige Tipps:

Variante 1: Üben Sie mit den Zeige- und Mittelfinger beider Hände einen leichten, nach oben gerichteten Druck an der Innenseite der äußeren Schamlippen aus und heben Sie den gesamten Bereich vorsichtig an. Die besten Positionen sind dabei die »klassische« (oral), »SAMG« und der »heiße Stuhl«.

Variante 2: Die Beine der Frau müssen sich in einer »V«-Position befinden, wobei ihre Füße auf einer ebenen Fläche aufgestellt sind. Sie befinden sich zwischen Ihren Beinen und haben einen Arm unter und um ihren Oberschenkel geschlungen. Mit der flachen Hand, die auf ihrem Schamhaar ruht, üben Sie einen festen, nach oben gerichteten Druck in Richtung ihres Kopfes aus. Auch dadurch wird alles nach oben verschoben, sodass ein strafferer, offener Bereich für Ihren Mund entsteht.

Variante 3: Wenn sie sich dabei wohl fühlt, bitten Sie Ihre Partnerin, ihre Vulva für Sie offen zu halten. Vielleicht kann sie die rutschige Hautoberfläche besser greifen, wenn sie weiße Baumwollhandschuhe trägt – ähnlich wie jene Handschuhe, die die Frauen in den fünfziger Jahren trugen. Wenn Sie sich dabei aber albern vorkommen, sollten Sie es besser nicht ausprobieren.

Geheimtipp aus Lous Archiv

»Wenn meine Freundin stärker erregt wird, stelle ich eine merkliche Erhöhung der Temperatur in ihrer Scheide fest, und dann wird sie plötzlich ganz feucht. Können Sie sich vorstellen, wie mich das erregt?«

Die besten Positionen für oralen Sex

Eine kurze Anmerkung, bevor ich die schönsten Positionen für oralen Sex beschreibe. Ich möchte Ihnen nämlich nicht vorenthalten, was einige Männer als hervorragende Übung für die Zungenfertigkeit empfehlen:

Essen Sie ein Eishörnchen. Die nach oben gerichteten, lang gezogenen Bewegungen mit der Zunge ähneln der Technik beim oralen Sex. Für saugende und kreisende Bewegungen versuchen Sie doch mal, Wackelpudding oder Joghurt ohne Löffel direkt aus dem Becher zu essen.

Sie können Ihre Zungenfertigkeit auch verbessern, wenn Sie ein kleines Bonbon lutschen. Legen Sie es dazu flach vorne in den Mund und zwar entweder zwischen Lippen und Zahnfleisch oder direkt hinter die Zähne. Mit winzigen Zungenbewegungen »essen« oder lutschen Sie es nun von innen nach außen. Genau wie für tollen oralen Sex braucht man dazu Zeit, Geduld und eine starke, bewegliche Zunge.

Nach dieser kurzen Einleitung können wir jetzt zu den Stellungen übergehen. Es gibt im Grunde fünf Positionen mit weiteren Variationen.

Die Klassiker

Die folgenden sieben Illustrationen zeigen die Standardposition, bei der sich der Mann (auf dem Bauch liegend) zwischen den Beinen der Frau befindet. Und obwohl diese sieben Positionen alle zur selben »Familie« gehören, ist jede ein bisschen anders und hat ihren speziellen Reiz. Grundsätzlich ist es am besten, ein Kissen unter die Hüften der Partnerin und eins unter Ihre Brust zu schieben. Dies gibt Ihnen mehr Bewegungsfreiheit, während Ihre Partnerin durch das Anheben der Hüften die Beine weiter öffnen kann. Außerdem wird so verhindert, dass Sie sich die Zungenunterseite an Ihren Zähnen abschürfen.

Direkt: (Varianten A und B) Diese beiden Positionen ermöglichen eine direkte Zungenbewegung nach oben, wodurch die Vorhaut der Klitoris angehoben wird. Bei den Varianten kann die Frau bestimmen, wie weit sie die Oberschenkel öffnen möchte. Außerdem kann sie ihre Hände (vielleicht in jenen weißen Handschuhen) einsetzen, um die äußeren Schamlippen offen zu halten und so ihrem Partner zu helfen. Bei diesen beiden Positionen können Sie leicht die »Handarbeit« (siehe Seite 138f.) einbeziehen, indem Sie den Daumen zum Streicheln des Afters benutzen oder ein oder zwei Finger in die Scheide einführen, um leichten Druck auf den unteren Bereich der Scheidenöffnung auszuüben. Bewegen Sie die Finger langsam und führen Sie kleine Kreisbewegungen aus.

T-Kreuz: Dies ist eine gute Technik für Frauen, die auf einer Seite der Klitoris empfindsamer sind als auf der anderen. Der Mann kann zwischen einer »großräumigen« Bewegung und einer ganz gezielten abwechseln, während er mit der Zunge die Klitorisknospe umkreist.

Beine geschlossen: Dies ist ein guter Ausgangspunkt für das orale Liebesspiel und oft die beste Position für Frauen mit sehr empfindlicher Klitoris, die starken, direkten Kontakt nicht angenehm finden.

Ihr Bein über seiner Schulter: Bitten Sie sie, ein Bein über Ihre Schulter zu legen, und mit einer leichten Drehung ihrer Hüften werden Sie in der Lage sein, den richtigen Punkt zu erreichen. Manche Frauen haben in dieser Position das Gefühl, enger mit dem Partner verbunden zu sein. Führen Sie auch hier wieder eine nach oben gerichtete Bewegung mit der Zunge aus.

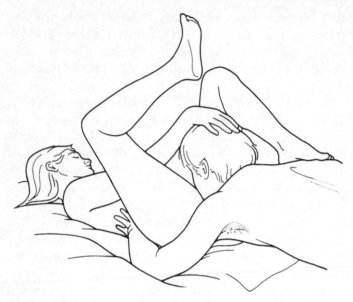

Direkt, Position A

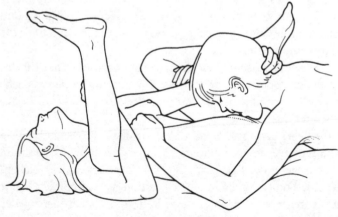

Direkt, Position B

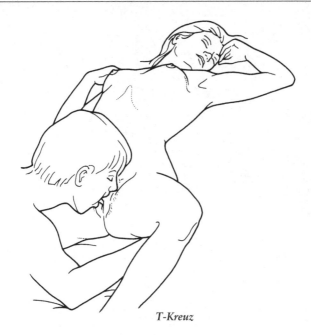

T-Kreuz

Beine geschlossen

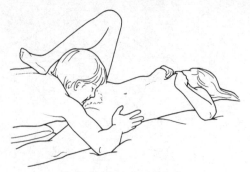

Ihr Bein über seiner Schulter

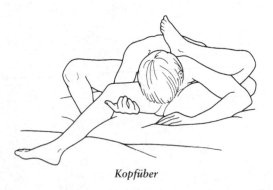

Kopfüber

Kopfüber: Dies ist eine ideale Stellung, wenn Sie engen Körperkontakt suchen. Bei der nach unten gerichteten Bewegung
kann der Mann den Winkel, in dem er den Kopf hält, entspannen, sodass die Nackenmuskulatur weniger strapaziert wird.

Abwärts gerichteter Hund: Dies ist eine Spielart der Yoga-
Position »Hund«. Für die meisten Paare ist dies eine aufregend
neuartige Position, bei der die Partner sich gut im Blick haben.
Manche Frauen genießen es, fest um die Körpermitte herum
gehalten zu werden, während der Partner gleichzeitig ihre Brüs-

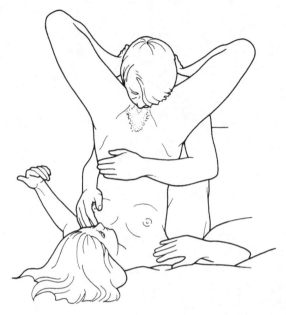

Abwärts gerichteter Hund

te mit den Händen liebkost. Auch hier wird Ihre Zunge wieder in einer nach oben gerichteten Bewegung aktiv, und achten Sie darauf, dass Sie Ihre Partnerin nicht zu stark mit Ihrem Gewicht belasten.

Geheimtipp aus Lous Archiv

Bei manchen Frauen, die beim oralen Sex zum Orgasmus kommen, verändert sich die Konsistenz des Scheidensekrets. Ein Mann berichtete: »Die Konsistenz wurde dicker und sie wurde insgesamt feuchter.«

Seite an Seite

Seite an Seite und die »69«

Die Position Seite and Seite und die »69« verlangen große Konzentration. Eine Frau erzählte: »Ich kann meinen Partner nicht
oral befriedigen, während er es gleichzeitig bei mir tut. Dabei
muss ich mich zu sehr konzentrieren. Wir praktizieren diese
Stellung deshalb gern zum »Aufwärmen«, bevor wir zu einer
anderen Stellung übergehen.«

Diese beiden Positionen, bei der eine nach unten gerichtete
Streichelbewegung mit der Zunge eingesetzt wird, ist besonders für die sensiblere Damenwelt geeignet. Achten Sie darauf,
dass viel Speichel vorhanden ist, damit Ihre Partnerin nicht
austrocknet. Während Sie sie verwöhnen, kann sie, wenn sie
möchte, an Ihrem Penis oder Ihren Hoden saugen.

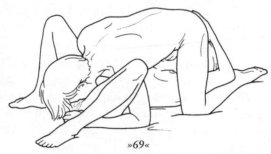

»69«

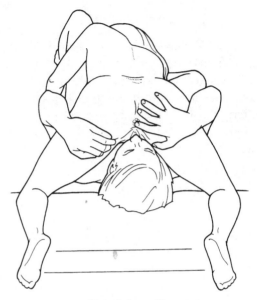

Umgekehrte »69«

Wenn Sie beide auf der Seite liegen, können Sie ihren Kopf auf Ihrem Oberschenkel ablegen. Ein Mann beschrieb diese Erfahrung so: »Meine Zunge bleibt feuchter und in meinem Mund sammelt sich Speichel, sodass ich sie intensiver schmecken kann.« Außerdem können Sie hinter ihren Rücken greifen und mit ihrem Gesäß und ihrem After spielen.

Wenn sich die Partnerin über dem Mann befindet, kann dieser ruhig den ganzen Körper entspannen – bis auf die Zunge. Machen Sie mit ihr eine nach unten gerichtete, rhythmische Bewegung. Diese Stellung ist ideal für Paare, die das orale und manuelle Analspiel lieben.

Das Gewölbe

Dabei handelt es sich um eine weitere neue Position, bei der der Mann aufrecht sitzt, während sich seine Partnerin auf ihm befindet. Sie hält sich an ihm fest, indem sie ihre Füße hinter seinem Kopf verschränkt, während ihre Oberschenkel auf seinen Schultern ruhen. Manche Frauen genießen das Gefühl, wenn sie sich danach aufrichten und ihnen das Blut in den Kopf schießt.

Das Gewölbe

SAMG (Sitz auf meinem Gesicht)
und der Schmetterling

Bei diesen Positionen ist es für die Frau am einfachsten, die Bewegung zu kontrollieren. Sowohl beim nach vorne gerichteten *Schmetterling* als auch bei der entgegengesetzten Position *SAMG* kann sie Druck und Geschwindigkeit nach Belieben selbst variieren.

SAMG. Ihr Kopf und Nacken sollten von Kissen gestützt werden – und zwar nicht nur wegen der Bequemlichkeit. Vielmehr haben Sie dadurch mehr Spielraum in dem Bereich, der mit dem Mund liebkost wird. Sie können in dieser Position schön mit ihren Brüsten spielen und die Hände benutzen, um sie weiter zu öffnen. Setzen Sie sowohl nach unten als auch nach oben gerichtete Bewegungen und viel Saugkraft ein. So kann sie sich ganz auf das eigene Vergnügen konzentrieren.

Sitz auf meinem Gesicht

Schwebender Schmetterling

Der Schmetterling. Diese Stellung ist bei den Frauen sehr beliebt. Ihre Partnerin kann sich dabei irgendwo aufstützen und hat das Gefühl, alles unter Kontrolle zu haben, während ihr Partner sie oral verwöhnt. Führen Sie eine kraftvolle, nach oben gerichtete Bewegung mit der Zunge aus. Wenn Ihnen kühl ist, können Sie sich von der Taille abwärts zudecken.

Geheimtipp aus Lous Archiv

Gehen Sie mit Ihrer Zunge oder Ihrem Finger nicht zu ihrer Vulva zurück, nachdem Sie bei ihr in Afternähe waren. Es besteht das Risiko, dabei fremde Organismen zu transportieren, die Infektionen verursachen können.

Von hinten

Diese Stellung ist besonders bei Männern beliebt, die eine Schwäche für den weiblichen Po haben. Bei dieser Position ist jedoch eine flachere Streichelbewegung mit der Zunge erforderlich, und falls Sie das Analspiel einbeziehen möchten, dürfen Sie nicht zurück zum Vulvabereich gehen, da Körperflüssigkeiten oder Organismen nicht von einem Bereich auf den anderen übertragen werden sollten. Da sich die natürlich auftretenden Organismen des Afters (bei ihr und bei Ihnen) und die des Scheidenbereichs unterscheiden, riskieren Sie eine Störung der natürlichen Scheidenumgebung, was zu Scheiden- oder Blaseninfektionen führen kann.

In dieser Stellung haben Sie auf alles nur begrenzten Zugriff, aber es ist ein sehr erregender Ausgangspunkt. Möglicherweise müssen Sie den Nacken stark beugen. Wenn sich Ihre Partnerin mit den Schultern abstützt, kann sie Ihnen helfen und mit Ihren Händen den gesamten Bereich öffnen. Eine Frau kommentierte diese Position so: »Ich liebe es, wenn mein Mann dies macht. Es ist so animalisch und erregt mich wahnsinnig.«

Von hinten

Der heiße Stuhl und im Stehen

Diese beiden Positionen eignen sich besonders gut für Liebesspiele außerhalb des Schlafzimmers.

Der heiße Stuhl: Unabhängig davon, ob Ihre Partnerin auf einem Tisch oder dem Sofa sitzt, sie kann in dieser Stellung alles beobachten, und für Sie ist diese Position sehr bequem, sodass Sie sie problemlos auch für längere Zeit halten können, ohne einen steifen Nacken zu bekommen. Sie kann dabei Ihren Kopf halten, aber manche Männer behaupten, dass sie dabei das Gefühl haben, an den Ohren gezogen und wie ein Boot gesteuert zu werden. Wenn sie auf einem Tisch sitzt oder sich zurücklehnt, während Sie vor ihr auf einem Stuhl sitzen, sind die Vorteile offensichtlich: Sie haben es bequem und können sich ganz auf Ihre Aufgabe konzentrieren. Gleichzeitig können Sie die »Handarbeit« einsetzen, um sie noch stärker zu erregen.

Der heiße Stuhl

Im Stehen

Im Stehen: Dabei handelt es sich um eine erotische Übung, die oft in der Dusche oder beim An- und Entkleiden praktiziert wird. Sie ist wunderbar dazu geeignet, den Spaßfaktor beim Sex zu erhöhen. Jedes Mal, wenn Sie eine neue Technik oder ein neues Spielzeug auszuprobieren, erhöhen Sie die Abenteuerlust, was wiederum dazu führt, dass bei Ihnen beiden die Spontaneität, die Spiellust und die Erregung steigen. Der einzige Nachteil bei dieser Stellung besteht darin, dass der Mann dabei leider manchmal einen steifen Nacken bekommt.

Raffinierte Zungenschläge

Auf dem Frenulum klimpern. Medizinisch ausgedrückt ist das Frenulum ein Hautansatzpunkt. Männer haben ein Frenulum an der Penisspitze und Frauen haben eins oben am Vulva-/Klitorisbereich. Um Ihre Partnerin hier zu liebkosen, streichen Sie mit der (viel glatteren) Unterseite Ihrer Zunge in einer schnellen Bewegung von der einen Seite zur anderen.

Der Aufzug. Setzen Sie die Oberfläche Ihrer Zunge in einer nach oben gerichteten Bewegung ein, während Sie für die nach unten gerichtete Bewegung die Zungenunterseite benutzen.

Das ABC. Eine lustvolle Deutschstunde, an die sie sich sicher noch lange erinnert. Schreiben Sie die Buchstaben des Alphabets mit Ihrer Zunge auf ihre Vulva. Um das Ganze noch aufregender zu gestalten, können Sie versuchen, das Schriftbild zu vergrößern oder kursiv zu schreiben. Sie könnten Ihre Partnerin bitten, sich dabei für Sie offen zu halten.

Der Staubsauger. Dabei dreht sich alles ums Saugen, was die meisten Frauen sehr genießen. Lassen Sie sie an Ihren Fingern saugen, damit Sie spüren, wie stark sie stimuliert werden möchte.

Die Diamantenspitze. Saugen Sie an der Klitorisknospe und stimulieren Sie sie mit der Zungenspitze, während Sie gleichzeitig mit geschürzten Lippen eine Saugbewegung erzeugen.

Eiswürfel. Manche Frauen lieben es, wenn ihr Partner beim Oralsex einen Eiswürfel im Mund hat, während andere das kalte Gefühl überhaupt nicht mögen.

Der Picasso. Malen Sie mit Ihrer Zunge ein Bild auf ihren ganzen Körper, wobei Sie die Klitoris als Ausgangspunkt wählen. Dabei können Sie ihr zeigen, wie sie schmeckt, indem Sie nach Vollendung des Kunstwerks wieder an die Oberfläche kommen und sie küssen.

Bewährte Tipps für tollen Oralsex

- Eine Frau fand eine gute Möglichkeit, ihrem Partner zu sagen, wie sie gerne oral liebkost werden möchte. »Ich sagte ihm, dass er meine Muschi genauso küssen solle, wie meine Lippen – umfassend, weich, feucht und warm. Und dann habe ich gesagt, dass er genauso an meiner Klitoris saugen solle, wie er beim Küssen an meiner Zunge saugt.«

- Wenn Frauen sagen: »Das fühlt sich toll an«, oder »Da«, werden Männer in ihren Bewegungen oft schneller oder erhöhen den Druck. Dadurch fühlt sie sich dann wiederum zur Eile gedrängt, was genau das Gegenteil der »langsamen Erregung« bewirkt. Auch wenn ich es riskiere, mich zu wiederholen: Lassen Sie Ihre Partnerin entspannt die verschiedenen Empfindungen genießen – dadurch baut sich ihre Erregung erst richtig auf. Wenn sie aber von sich aus nach mehr verlangt, sollten Sie unbedingt die jeweilige Bewegung fortsetzen.

- Männer, die ihre Partnerin besonders gern und besonders gut oral befriedigen, bringen dabei das ganze Gesicht ins Spiel und sehen wie ein glasiertes Kuchenteilchen aus, wenn sie fertig sind. Wenn Ihre Zunge ermüdet, lassen Sie ruhig Ihre Nase oder Ihr Kinn spielen.

- Männer berichteten, dass manche Frauen es mögen, wenn mit der Nase Druck auf den Venushügel ausgeübt wird.

- Während Sie die Zunge zur Stimulierung ihrer Klitoris benutzen, können Sie mit der Vorderseite des Kinns festen,

gleichmäßigen Druck auf den Harnröhrenbereich direkt unterhalb der Klitoris ausüben. Manche Frauen lieben diesen
Druck mit dem Kinn auch am Scheideneingang.

- Eine Frau, die gegenüber direkten Berührungen der Klitoris
äußerst empfindlich ist, trägt Seidenschlüpfer, wenn ihr Mann
sie oral befriedigt. Auch durch die Seide wird sie stark stimuliert, aber eben nicht zu sehr.

Geheimtipp aus Lous Archiv

In die weibliche Scheide zu pusten ist Frauen grundsätzlich unangenehm, aber während der Schwangerschaft und in den ersten Wochen
nach der Geburt ist es sogar gefährlich, da dabei Luft in die Gebärmutter gelangen kann. Wenn Luft in ein Blutgefäß eintritt (was als Luft-
embolie bezeichnet wird), kann dies tödliche Folgen haben.

- Je langsamer Sie vorgehen, desto schneller kommen Sie an –
ehrlich. So klagte eine Seminarteilnehmerin: »Manchmal ist
er schon im vierten Gang, und ich bin noch nicht mal losge-
fahren.« Damit Frauen zum Orgasmus kommen können,
muss sich bei ihnen langsam Spannung aufbauen. Die Geschwindigkeit der Bewegung sollte deshalb nach und nach
gesteigert werden. Wenn Ihre Partnerin dann auf den Höhepunkt zusteuert, werden Sie schneller und setzen Ihre Zunge
intensiver ein.
- Beim oralen Sex haben Frauen oft das Gefühl, dass der
Mann zu weit weg ist. Sie könnten dann eine Stellung mit
mehr Körperkontakt wählen (z.B. *Kopfüber*), bei den klassi-
schen Positionen.
- Manche Frauen mögen es, wenn der Mann seine Zunge in
kleinen, sich wiederholenden Bewegungen spielen lässt, während sich andere Frauen mehr Abwechslung wünschen. Sie
könnten Ihre Zunge anfänglich in breiten, allgemeinen Be-

wegungen einsetzen, und wenn sie erregt wird, können Sie sich stärker der Klitoris zuwenden und sich auf diese Stelle konzentrieren. Fragen Sie sie hin und wieder, ob Sie die Zungenbewegungen ändern sollen.

- Denken Sie daran, dass es bei den meisten Frauen länger bis zum Orgasmus dauern kann, als Sie denken, speziell wenn der orale Sex der erste Teil des Vorspiels ist. Manche Frauen brauchen zehn Minuten, andere bis zu einer halben Stunde. Dies hängt von vielen Variablen und nicht zuletzt davon ab, wie entspannt sie ist.

- Eine der besten Möglichkeiten für den Mann, festzustellen, ob seine Partnerin erregt ist, ist ihre Atmung: Sie wird langsamer und tiefer werden. Wenn sie auf den Höhepunkt zusteuert, orientieren Sie sich an ihrer Atmung, um schneller oder langsamer zu werden oder die Bewegungen von Zunge oder Mund zu ändern. Ein weiteres Zeichen ihrer Erregung ist, wenn sie lustvoll den Rücken wölbt und sich auf die Schultern stützt.

- Manche Frauen werden beim oralen Sex zu stark stimuliert. In diesem Fall müssen Sie entweder die Intensität und die Reichweite Ihrer Zunge variieren oder andere Körperbereiche oral liebkosen und ihren Genitalien etwas Ruhe gönnen. Wenn Sie nach einer kurzen Pause mit der Zunge zu ihrer Klitoris oder den Schamlippen zurückkehren, wird sie immer noch erregt und in der Lage sein, zum Orgasmus zu kommen.

- Manche Frauen, die das Gefühl haben, dass sie durch orale Stimulation nicht zum Orgasmus kommen können, haben deshalb Schuldgefühle. Helfen Sie Ihrer Partnerin, indem Sie sie wissen lassen, dass es völlig in Ordnung ist, und Sie sie trotzdem gern mit dem Mund liebkosen.

Geheimtipp aus Lous Archiv

Manche Frauen mögen das Gefühl, wenn der Mann beim oralen Sex »summt«.

Pannenhilfe

Wir alle wissen, dass zur oralen Befriedigung der Frau einige Kopf- und Körperverrenkungen nötig sind. Hier einige hilfreiche Tipps dazu:

Hilfe bei Muskelschmerzen im Nacken:
1. Kissen, Kissen, Kissen. Verwenden Sie Kissen (besonders im Bett) unter ihren Hüften und/oder unter Ihrer Brust. Beim Schmetterling legen Sie ein Kissen unter Ihren Kopf.
2. Schütteln Sie leicht den Kopf. Dabei strecken Sie weiterhin die Zunge heraus, um mit Ihrer Partnerin in Kontakt zu bleiben.

Ihre Zunge ermüdet:
1. Wenn Ihre Zunge ermüdet, rollen Sie sie ein und legen sie an die Außenseite Ihrer Oberlippe. Auf diese Weise können Sie Ihre Zunge entspannen, und das Gefühl von Weichheit und Wärme, das sie so genießt, wird nicht unterbrochen.
2. Die Zunge hat zwei Oberflächen – eine oben und eine unten. Wenn Ihre Zunge bei einer Seitenbewegung ermüdet, entspannen Sie sie mit einer starken Aufwärtsbewegung mit der Oberseite. Dann benutzen Sie die weiche Unterseite der Zunge für die Abwärtsbewegung.

Geschickte Handarbeit
1. Hände und Mund arbeiten hier zusammen. Wenn Sie sie mit dem Mund stimulieren, setzen Sie gleichzeitig die Finger ein.

Versuchen Sie doch mal, mit dem Daumen über den Damm oder Afterbereich zu gleiten.

2. Üben Sie im unteren Bereich des Scheideneingangs im Scheideninnern leichten Druck aus. Wenn Ihre Partnerin auf dem Rücken liegt und Sie ihre Genitalien vor sich haben, üben Sie mit Daumen oder Kinn auf den ersten fünf Zentimetern des Scheideneingangs Druck aus. Manche Frauen werden dadurch stark erregt.

3. Halten Sie eine Hand unter Ihr Kinn. Dies ist eine vielseitige Hilfestellung! Sie können nicht nur Ihr Kinn zwischen Daumen und Zeigefinger abstützen, sondern auch die Vorderseite des Zeigefingers benutzen, um damit die Streichelbewegung fortzusetzen, während Ihre Zunge Pause macht. Das funktioniert aber nur, wenn Ihre Partnerin bereits feucht genug ist.

Probleme mit dem Barthaar

1. Achten Sie bei der Rasur darauf, dass Ihr Gesicht glatt wie ein Babypopo wird, speziell im Mundbereich und direkt unter der Unterlippe. Überprüfen Sie dies an Ihrer Handgelenkinnenseite. Wenn Sie hier etwas fühlen, wird es sich für Ihre Partnerin wie Schmiergelpapier anfühlen.

2. Ich habe erfahren, dass viele Männer sehr erotisch finden, das Schamhaar der Partnerin zu stutzen oder zu rasieren. Sie könnten dies als Form des Vorspiels ausprobieren.

Da so viele Frauen die orale Stimulation lieben, um zum Orgasmus zu kommen, sollten Sie diesen Wunsch erfüllen. Ihre Zunge ist ein Zauberinstrument, und Ihre Partnerin wird Ihnen ewig dankbar sein, wenn Sie lernen, es kunst- und lustvoll zu benutzen. Denken Sie daran, dass oraler Sex ein Ausdruck großer Vertrautheit ist.

7. Kapitel

Die Werkzeugkiste des Sex-Profis

Für Spielzeug ist Mann nie zu alt

Früher absolutes Tabu, erfreut sich Sexspielzeug heute wachsender Beliebtheit. Nach Angaben der Hersteller von Erotikartikeln ist der Markt in den letzten Jahren deutlich gewachsen. Experten schreiben diese Steigerung mehreren Gründen zu. Ein Hersteller erklärt, dass Spielzeug im Allgemeinen weniger stigmatisiert wird als früher. Außerdem herrscht in der Ehe heute mehr Offenheit und mehr Bereitschaft, neue Dinge auszuprobieren. Der Hersteller sagte: »Männer und Frauen fühlen sich dem Druck ausgesetzt, monogam zu bleiben und Safer Sex zu praktizieren. Daher suchen sie nach neuen Möglichkeiten, ihrem Sexleben etwas mehr Pep zu verleihen.« Was natürlich nicht heißen soll, dass unsere Großmütter und Urgroßmütter keine Vibratoren kannten, und in dieser Hinsicht nicht viel progressiver waren, als wir vielleicht denken.

Zuerst möchte ich betonen, dass diese Produkte kein Ersatz für ein leidenschaftliches, intimes Liebesspiel zu zweit sein sollen. Sexspielzeug ist also nicht dazu gedacht, den Partner oder die Partnerin zu ersetzen. Es soll einfach dazu dienen, unsere sexuelle Erfahrung zu erweitern und beiden Partnern Spaß zu machen. Ein Triathlet aus Los Angeles meinte: »Ich werde meine persönliche Werkzeugtasche zusammenstellen. An die eine Seite kommt eine Flasche Gleitmittel und ein Vibrator an die andere. Damit bin ich startklar.«

Wenn Sie oder Ihre Partnerin mit Sexspielzeug nicht vertraut sind, sollten Sie taktvoll und höflich sein, wenn Sie vorschlagen, es doch mal damit zu probieren. Frauen können schüchtern reagieren und glauben möglicherweise, dass dieser Wunsch ein Zeichen von Unzufriedenheit bei Ihnen ist. Wenn sich dieser Gedanke bei ihr festsetzt, könnte sie sich von dem Spielzeug *und* von Ihnen zurückziehen. Nachdem ihr Freund vorgeschlagen hatte, mit einem Vibrator zu spielen, sagte eine Frau: »Sofort kam mir der Gedanke, dass ich als Geliebte nicht gut genug bin. Erst als er mir sagte, dass er den Vibrator besorgt hatte, damit wir beide unseren Spaß damit hätten, sah ich ein, wie falsch ich mit meinen Zweifeln gelegen hatte.« Eine andere Frau berichtete: »Was eigentlich nur als witziges Geschenk gedacht war, brachte uns dazu, uns auf die Suche nach weiterem Spielzeug zu machen, das jetzt fester Bestandteil unseres Sexlebens ist und mit dem wir viel Spaß haben.«

Ihre Partnerin sollte das Gefühl haben, dass dieses Spielzeug etwas ist, das Sie mit ihr teilen wollen. Sie sollten betonen, dass es gerade die Intimität in Ihrer Beziehung ist, die es Ihnen beiden ermöglicht, zu experimentieren und gemeinsam Neuland zu betreten. Es ist praktisch der Zuckerguss auf dem Kuchen – keine Notwendigkeit.

Denken Sie auch daran, dass weder von Ihnen noch Ihrer Partnerin erwartet wird, dass Sie wissen, wie diese Artikel eingesetzt werden. Wahrscheinlich werden Sie sich bei einigen fragen, wofür sie wohl gedacht sein mögen. Es kommen auch ständig neue verrückte Spielsachen auf den Markt und es gibt sogar eigene Erotik-Messen, wo die Hersteller ihre neuesten Produkte vorstellen. (Manche Produkte haben eigentlich gar keine Funktion – sie sollen sich lediglich verkaufen.) Das Sexspielzeug, das ich Ihnen hier zeigen möchte, wurde vielfach in der Praxis erprobt und von den Teilnehmern und Teilnehmerinnen meiner Seminare für gut empfunden. Die Zeichnungen und Anleitungen werden jenes Spielzeug näher beleuchten.

Vibratoren

Zur Erklärung: Ein Vibrator ist ein fantasievoll geformtes Instrument, das vibriert und dazu dient, den Mann oder die Frau zu stimulieren. Im Allgemeinen haben Vibratoren die Form eines Penis und bestehen aus einem harten, plastikähnlichen Material (sie enthalten eine Batterie oder einen Elektromotor). Für diejenigen unter Ihnen, die zögern, einen Vibrator auszuprobieren, möchte ich noch einmal betonen, dass Vibratoren Sie als Mann niemals ersetzen können. Solche Artikel vergrößern genau wie jedes andere Sexspielzeug nur das Vergnügen, das eine Frau mit Ihnen zusammen genießt, und können sogar dazu beitragen, sie auf unerwartete Art und Weise zu entspannen. Vibratoren bieten immer den schnellsten Weg beim Masturbieren. Werden sie aber vom Partner eingesetzt, können sie das gemeinsame Liebesspiel noch intensiver und ausdauernder gestalten.

Ich möchte einen weiteren Mythos zerstreuen: Durch den Gebrauch eines Vibrators wird Ihre Partnerin gegenüber Ihren Berührungen oder bei der Penetration nicht empfindungsärmer; Genau wie die meisten Männer lernen, durch die Masturbation besonders schnell einen Orgasmus zu kriegen, lernen manche Frauen, durch einen Vibrator zum Höhepunkt zu kommen. Dennoch besteht ein großer Unterschied zwischen einem Vibrator und Ihren Händen, Fingern, Ihrer Zunge oder Ihrem Penis. Wenn es jedoch die einzige Möglichkeit für Ihre Partnerin ist, zum Orgasmus zu kommen, sollten Sie ihren Wunsch erfüllen. Es gibt drei Gründe, warum ein Vibrator es einer Frau erleichtert, zum Orgasmus zu kommen. Der eine ist die

Intensität der Vibration. Der andere Grund besteht darin, dass eine Frau beim Gebrauch des Vibrators normalerweise allein und dadurch entspannter ist. Zum dritten weiß sie genau, wo sie mit welcher Intensität stimuliert werden möchte.

Es gibt heute auch schon neue »stille« Vibratoren, die wegen ihrer hohen Frequenz besonders leise sind. Von diesen Geräten wurde aber mehrfach berichtet, dass sie ein Taubheitsgefühl erzeugen. Ein Bekannter hat ein solches stilles Gerät durch seine Jeans an seinem Hodensack ausprobiert. Fünf Minuten später begann der gesamte Bereich aufgrund der zu starken Stimulation zu hämmern und zu pochen und schmerzte. Vielleicht sollten Sie in dieser Beziehung den guten, alten Ratschlag befolgen und alles nur in Maßen genießen.

Geheimtipp aus Lous Archiv

Nicht alle Frauen mögen Vibratoren. Eine Frau meinte: »Er war zu laut und lenkte mich zu stark ab. Ich hatte das Gefühl, als würde mein Orgasmus aus mir herausgerissen. Der Aufbau der Erregung kam zu kurz.«

Vielleicht ist es interessant zu wissen, dass der elektrische Vibrator bereits Ende des neunzehnten Jahrhunderts von einem amerikanischen Arzt als Mittel zur Behandlung »weiblicher Störungen« erfunden wurde. Damals suchten Frauen häufig ihren Arzt auf, um ihre »Nerven« behandeln zu lassen. Die Behandlung bestand aus manueller Stimulation durch den Arzt, bis die Frau zum Orgasmus kam und aufgestaute Spannungen auf diese Weise abgebaut wurden. Diese Behandlung wurde über Jahre praktiziert, bis ein ermüdeter Arzt ein Mini-Gerät erfand, das ihm bei der Behandlung half. Die Patientenbesuche liefen damit für die Ärzte schneller und leichter ab und bald wurden Vibratoren als Heimgeräte in Frauenzeitschriften und Postversandkatalogen vermarktet, in denen sie als Allheilmittel für Kopfschmerzen, Asthma, »verblassende Schönheit« und sogar Tuberkulose angepriesen wurden. Doch dann fielen die Vibratoren in Ungnade, als sie in Filmen für Herrenabende auftauchten und ihre offensichtliche sexuelle Verbindung nicht mehr geleugnet werden konnte.

Die Mehrzahl der Männer denkt, dass Vibratoren nur für Frauen da sind, was ein weiterer Mythos ist. Ich habe mit einer Reihe von Männern gesprochen, die die Freuden der Vibration entdeckt haben. Sie können Vibratoren in jeder Weise einsetzen, die sicher und sauber ist und nicht wehtut.

Frauen, die Vibratoren benutzen, kann man in zwei Gruppen unterteilen. Sie bevorzugen entweder die intensive Klitorisstimulation durch einen Vibrator mit kleinem Kopf oder wählen einen Vibrator mit größerem Kopf, der einen größeren Bereich der Vulva stimuliert. Aber Sie wissen vorher nie, wie Sie Ihre Partnerin sexuell überraschen können. Lassen Sie einfach Ihre Fantasie spielen!

Verschiedene Vibratortypen

Vibratoren gibt es in allen möglichen Ausführungen, Größen, Formen und Farben. Sie werden mit Strom oder Batterie betrieben. Es gibt sogar besonders kleine Modelle für die Reise. Manche habe eine glatte Oberfläche, während andere gerippt sind – so ähnlich wie bestimmte Kartoffelchipssorten. Andere Vibratoren sind mit besonderen Vorsätzen versehen, mit denen gleichzeitig mehr als ein Bereich stimuliert werden kann. Die folgenden Tipps rund um die Auswahl und den Gebrauch von Vibratoren können Anregungen sein, wenn Sie sich selbst auf die Suche nach dem passenden Vibrator machen.

• Elektrisch betriebene Vibratoren wurden ursprünglich zur Massage schmerzender Nackenmuskeln und anderer Mus-

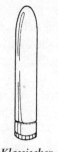

kelbereiche entwickelt. Sie sind größer und stärker als der klassische Massagestab für Damen. Einige der älteren Modelle werden für »echte« Massagen am Handrücken befestigt. Bei diesen Geräten kann man am leichtesten so tun, als seien sie für einen anderen Zweck gedacht.

»Klassischer«
Massagestab

• Fingerspitzenvibratoren und Vibratoren mit Fernbedienung sind hervorragend für erotische Überraschungseffekte geeignet.

• Wasserdichte Vibratoren können Sie und Ihre Partnerin sogar in die Dusche begleiten! Es gibt kleine Modelle für die Hand, aber auch größere, weiche, mit Schaumstoff umhüllte Kugeln mit einem Durchmesser von zehn Zentimetern, die am ganzen Körper eingesetzt werden können.

Geheimtipp aus Lous Archiv

Die Hersteller von Sexspielzeugen geben leider mehr für das Design der Schachtel aus als für die Forschung und Entwicklung der Produkte selbst.

Fingerspitzenvibrator

Modell mit Fernbedienung

Spezielle Vibratoren

Hüftgeschirr-Vibratoren. Das Besondere bei diesen Vibratoren ist, dass sie nicht in der Hand gehalten werden müssen, sondern mit einer Hüfthalterung befestigt werden. Die elastischen Oberschenkelgurte können ganz individuell bei der Dame angepasst werden.

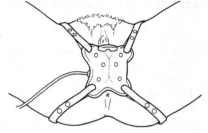

Vibrator mit Hüftgeschirr

Dildos

Dildos sind penisförmige Spielzeuge, die dem gleichen Zweck dienen wie ein Vibrator, nur ohne dabei zu vibrieren. Aufgrund ihrer weicheren Struktur haben Dildos den zusätzlichen Vorteil, dass sie besser zur Penetration geeignet sind und der Partnerin das Gefühl der Fülle geben, das viele Frauen so lieben. Dildos werden normalerweise aus Gummi oder Silikon hergestellt. Sie können aber auch aus hartem Kunststoff bestehen, der zwar haltbarer, aber nicht so benutzerfreundlich ist und die Körperwärme nicht so gut speichert.

Bestimmte Dildos haben eine gekrümmte Form, um den weiblichen G-Punkt (an der Bauchseite ihrer Scheidenwand) besser zu erreichen. Sehr beliebt sind auch Dildos mit Geschirr. Mit einem solchen Geschirr können beide Partner der penetrierende oder »obere« Partner sein. Ein Mann berichtete begeistert: »Ich liebe es, wenn meine Frau ihr Ledergeschirr anlegt und mich mit dem Schwanz so bumst, wie ich es sonst mit ihr mache.« Bei manchen Paaren trägt der Mann ein Geschirr, sodass er seine Partnerin doppelt penetrieren kann. Ein Mann erzählte: »Ich kann das irre Gefühl gar nicht beschreiben, wenn mein Penis in ihrer Muschi drin ist und der Dildo in ihrem Hintern. Es ist einfach wahnsinnig. Und sie kommt dabei so gut, weil sie sich so ausgefüllt fühlt.«

Noch mehr Spielzeug

Penisringe

Männer, die gerne Penisringe verwenden, loben an ihnen, dass sie den Druck verstärken. Penisringe basieren auf dem Gesetz der »Hydraulik« eines erigierten Penis. Durch Stimulation fließt Blut in den Penis und lässt die drei Schwellkörper anschwellen. Schwerkraft und mangelnde Stimulation führen dagegen dazu, dass das Blut wieder abfließt.

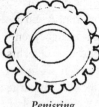

Penisring

Penisringe verringern die Senkung des Blutdrucks im Penis, indem sie die Venen an den Seiten des erigierten Penis, durch die das Blut normalerweise abfließt, geschlossen bleiben. Dadurch kann der Mann die Erektion länger halten und der Penis wird härter. Wenn Penisringe um den Penis und unter dem Hodensack getragen werden, wird der Hodensack vom Körper weggehalten und die Ejakulation verzögert. Die Herren in meinen Seminaren empfehlen Ringe aus weichem, flexiblem Material, nicht aus hartem Metall.

Tipps für den Einsatz eines Penisrings

1. Für eine optimale Wirkung tragen Sie oder Ihre Partnerin ein leichtes Gleitmittel auf den Ring und auf Ihren Penis auf. Am besten wird ein Gleitmittel auf Wasserbasis verwendet, da die Ringe durch Öl oder Lotionen zersetzt werden könnten.

2. Die beste Position für den Ring ist am Penisschaft und unterhalb des Hodensacks. Wenn er am Schaft sitzt, berichten manche Männer Folgendes: »Er war zu eng nur am Schaft, und obwohl ich dachte, dass es genau umgekehrt wäre, fühlte ich mich durch den Ring am Hodensack besonders gestützt. Es war genau richtig.« Es ist am besten, wenn der Mann den Ring selbst oberhalb der Hoden anpasst.

3. Der Ring kann während der manuellen Stimulation und beim Geschlechtsverkehr von beiden Partnern getragen werden. Oft probieren Paare den Ring erst mal beim manuellen Sex aus bevor sie ihn auch beim Geschlechtsverkehr benutzen.

4. Einige Paare haben berichtet, dass sie gerne den Geschlechtsverkehr mit einem Penisring beginnen und ihn dann vor dem Höhepunkt entfernen oder ihn auf halbem Weg anlegen und dann gemeinsam zum Orgasmus kommen.

5. Hodensack und Penis können eine viel dunklere Farbe annehmen, wenn der Penisring angelegt wurde. Das ist ganz natürlich, da sich das Blut dort stärker staut. Der Ring sollte allerdings nicht länger als zwanzig bis dreißig Minuten am Stück getragen werden. Dann sollte er entfernt und eine mehrminütige Pause eingelegt werden.

6. Nach dem Liebesspiel waschen sie ihn einfach mit antibakterieller Seife und Wasser, sodass er für den nächsten Einsatz bereit ist.

Schaftmanschetten

Diese Manschetten passen für alle Größen und bestehen aus einem sehr dehnbaren, weichen, gummiähnlichen Material.

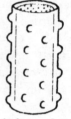

Sie können am Penis oder an den Fingern getragen werden und steigern die aufregenden Empfindungen Ihrer Partnerin bei der manuellen Stimulation oder bei der Penetration mit einer Vielfalt an strukturierten Oberflächen. Es gibt viele erotische Einsatzmöglichkeiten für Schaftmanschetten:

Schaftmanschetten

1. Durch den Mann bei der Partnerin – ein wahrer Segen für die Männer. Statt sich allein auf die Fingerspitzen zu verlassen, um den Klitorisbereich Ihrer Partnerin zu stimulieren, bekommen Sie Hilfe in Form dieser weichen, strukturierten Manschetten. Probieren Sie es einfach einmal bei sich aus und fahren Sie über Ihre Handflächenmanschette (aber verwenden Sie dabei ein Gleitmittel, da sich sonst nicht das echte Gefühl einstellt). Männer haben berichtet, dass sie gleichzeitig zwei Manschetten über zwei Finger ziehen, sodass sie die inneren Schamlippen und die Klitoris selbst stimulieren können. Frauen berichten: »Er war schon vorher gut mit seinen Händen, aber jetzt ist es einfach unbeschreiblich.« Beim Geschlechtsverkehr sorgen die Manschetten für eine tiefe, langsame Penetration wenn sie am unteren Ende des Penis getragen werden. Die weichen Riffelungen und die Wülste stimulieren dabei die Partnerin besonders. Dabei ist es egal, ob sich die Frau oder der Mann oben befindet.
2. Durch die Frau beim Partner. Dabei trägt sie die Manschetten an einem oder zwei Fingern. Tragen Sie etwas Gleitmittel auf und lassen Sie Ihrer Fantasie freien Lauf.

3. Solo – dabei können Sie die Empfindungen, die mit den verschiedenen Strukturen möglich sind, am besten kennen lernen.

Lust-Laken

Wie alle guten Ideen wurde auch diese durch Zufall geboren. Die Lust-Laken wurden von einem Marineoffizier erfunden, der auf diese Idee kam, als er sah, wie David Letterman in seiner Show an einer mit Klettband versehenen Wand hing. Der Offizier sagte zu seinen Kollegen: »Wäre dies nicht eine heiße Sache, wenn man das mit der eigenen Partnerin machen könnte?« Die Ehefrau des Offiziers nähte darauf ein Laken aus haftendem Stoff und kleine Kissen aus Klettband mit Manschetten. Dann feierte sie eine Party, um zu sehen, ob es funktionierte. Der Erfinder meinte dazu: »Wir haben uns kaputtgelacht«, aber diese Laken sind einfach genial.

Sportsheets™ sind sehr weiche, plüschartige, aber haltbaren Velours-Laken, die auf ein Doppelbett passen. An vier Verankerungskissen werden die Manschettengurten befestigt, und schon haben Sie Ihre Partnerin auf sanfte Weise ans Bett gefesselt. Die Idee dabei ist, dass die Frau (oder der Mann) mit Hilfe der Manschetten in jeder gewünschten Position auf dem Bett fest gehalten wird.

Ich bezeichne dies als die Light-Variante von Dominanz- und Bondage-Spielen für Frauen und Männer, die Bondage zum ersten Mal ausprobieren wollen. Das mit Gummizug versehene Laken ist sehr weich und kann ganz unauffällig auf dem Bett bleiben und auch die Klettbandkissen wirken überhaupt nicht bedrohlich.

Geheimtipp aus Lous Archiv

Für die Bondage-Anfängerin können Sie Toilettenpapier verwenden,
um ihr zwar das Gefühl zu geben, Ihre Gefangene zu sein, ohne dass
dabei aber das Gefühl echter Bedrohung entsteht.

Die Liebes-Schaukel

Obwohl dieses Spielzeug nicht ganz billig ist, könnte es Ihnen
und Ihrer Partnerin zu einer wahrhaft neuen Erfahrung verhelfen. Entwickelt von einem Bungee-Fan, ist es im Grunde ein
abgewandeltes Geschirr für das Bungee Jumping, das aus einer
Reihe von Gurten besteht, die an die Decke gehängt werden.
Die Liebesschaukel gibt Ihnen beiden das aufregende Gefühl
von Sex im freien Fall, von Schwerelosigkeit und totaler Bewegungsfreiheit.

Während Ihre Partnerin von dem Geschirr gehalten wird,
können Sie sie ohne Belastung von Rücken oder Beinen lieben.
Das perfekte Spielzeug für alle, die Hängematten und Schau-
keln mögen. Die Schaukel ist auch ein toller Ort für oralen
Sex. Mit einem Fingertippen können Sie sie herumbewegen
und müssen sich nie wieder den Hals verrenken.

Analstecker und Analperlen

Für diejenigen, die analen Sex lieben, gibt es zwei Lieblingsspiel-
zeuge. Frauen fühlen sich damit ausgefüllter, und wenn es zum
Geschlechtsakt kommt, steigert sich dieses Gefühl sogar noch.
Bei Männern ist der primäre Stimulationspunkt die Prostata.
Beide Vorrichtungen müssen mit viel Gleitmittel versehen wer-
den, da der After nicht von sich aus feucht wird.

Analstecker sind im Prinzip Dildos für den After, aber mit einem Ring am unteren Ende, damit sie nicht ganz in den Darm rutschen. Ihre umgekehrte Kegelform sorgt dafür, sodass sie nach dem Einführen vom Schließmuskel automatisch an Ort und Stelle gehalten werden. (Es gibt eigentlich zwei Schließmuskeln im After. Nur einer, der starke Muskelring, der die Afteröffnung verschlossen hält, unterliegt der willkürlichen Kontrolle. Der andere kann nicht bewusst entspannt werden, egal, wie sehr

Analstecker

man es versucht. Um beide Schließmuskeln zu entspannen, ist deshalb Hilfe von außen erforderlich. Ein Mann schlug vor, zuerst »einen Finger eine Minute lang und dann zwei Finger zwei Minuten lang in ihren After einzuführen«. Halten Sie die Finger dabei jedoch still und bewegen Sie sie nicht.) Danach lässt sich der Analstecker problemlos einführen.

Analperlen sind Kugeln aus Plastik oder Metall, die auf eine Schnur aufgezogen sind. Sie werden bis auf eine in den After der Partnerin eingeführt und vor oder während des Orgasmus vorsichtig herausgezogen, wenn sich die Beckenbodenmuskulatur im After rhythmisch zusammenzieht. »Wenn die Schnur herausgezogen wird, durchflutet mich eine zweite Orgasmuswelle«, berichtete eine siebenunddreißigjährige Frau aus Beverly Hills.

Praktische Tipps zum Thema Spielzeug

1. Halten Sie Ihr Spielzeug immer sauber. Waschen Sie es vor und nach dem Gebrauch in warmem Wasser und mit antibakterieller Seife.
2. Verwenden Sie nur Gleitmittel auf Wasserbasis zusammen mit Ihren Spielsachen aus Kunststoff, da ölhaltige Gleitmittel, Massageöl und Handlotion die Oberfläche zersetzen.
3. Verwenden Sie bei den Teilen, die eingeführt werden ein Kondom. Dadurch wird die Reinigung viel leichter.
4. Bewahren Sie Spielzeug, das für verschiedene Bereiche (vaginal/anal) eingesetzt wird, getrennt voneinander auf. Wenn Ihre Partnerin gerne anal penetriert wird, benutzen Sie dieses Dildo nicht für ihre Scheide und umgekehrt. Profis haben einen Beutel für Spielzeug für die Scheide und einen für die Artikel für den Afterbereich.
5. Teilen Sie ihr Spielzeug nicht mit anderen. In diesem Fall ist Geiz durchaus angebracht.

Stellen Sie sich Ihre persönliche Werkzeugkiste zusammen

Sexspielzeug kann eine wunderbare Möglichkeit sein, Ihre Beziehung mit Spontaneität und Spaß zu bereichern. Diejenigen unter Ihnen, die sich wegen der Diskretion Sorgen machen, könnten das Spielzeug in einem Kissenbezug aus Satin aufbewahren, den sie unter dem Bett verstecken. Nutzen Sie die Vorschläge in diesem Kapitel als Anregungen, und seien Sie versichert, dass ständig neue Erfindungen für erotische Spielsachen gemacht werden. Viel Spaß!

Bezugsquellen

Kataloge sind eine wunderbare und diskrete Möglichkeit, Sexspielzeug zu kaufen, vor allem wenn Sie es zum ersten Mal tun. Schon das Auswählen eines Spielzeugs kann eine verbindende, intime Erfahrung sein. Sie können Ihr so ganz behutsam zeigen, was Sie gern ausprobieren würden. Wenn Sie den Katalog anschauen, können Sie und Ihre Partnerin gemeinsam entscheiden, was Spaß machen könnte, was vielleicht zu riskant wäre und so weiter. Anfänglich könnten solche Vorschläge Ihrer Partnerin peinlich sein, denn vor allem Frauen haben in dieser Hinsicht Angst vor Ablehnung. Denken Sie daran, meine Herren, dass Frauen oft befürchten, als »nuttig« zu gelten, wenn sie die Verwendung eines Sexspielzeugs vorschlagen.

Die Kataloge, die ich empfehle, sind im Großen und Ganzen sehr geschmackvoll gestaltet. Einige Unternehmen sind sogar speziell auf weibliche Kunden ausgerichtet, haben freundliche Mitarbeiter, die Fragen über eine gebührenfreie Telefonnummer beantworten, und die Kataloge selbst enthalten ausführliche Erläuterungen zu den Artikeln.

Großen Spaß kann auch der gemeinsame Besuch in einem Erotik-Shop machen. Solche Geschäfte gibt es heute in jeder größeren Stadt. Dort können Sie die Spielsachen direkt anschauen und anfassen – und Sie werden sicher viel zu lachen haben.

8. Kapitel

Die Eroberung von Fräulein O

Die Magie des Orgasmus

In diesem Kapitel geht es um das große O und seine Faszination. Speziell geht es dabei um *ihren* Orgasmus und was Sie als ihr kundiger Liebhaber wissen sollten, um sie zum Orgasmus zu bringen, die Intensität des Gefühls für Sie beide zu erhöhen und neue Möglichkeiten zu entdecken, wie sie »kommt«. Obwohl es mir hier an erster Stelle um die Partnerin geht, spreche ich auch den männlichen Orgasmus an. Ich möchte Ihnen Möglichkeiten zeigen, wie Sie länger »können« und lernen, die zeitliche Abstimmung zu kontrollieren – zwei Themen, die viele Männer besonders interessieren wird.

Ein Orgasmus kann wunderbar, hinreißend, anstrengend und erleichternd sein. Und bei beiden Geschlechtern kann er zu schnell kommen, ewig auf sich warten lassen oder überhaupt nicht eintreten. Der Orgasmus ist das Natürlichste auf der Welt und dennoch etwas, das Probleme bereiten kann, wenn er nicht so oft vorkommt, wie es unserer Meinung nach der Fall sein sollte. Was den Orgasmus betrifft, setzen wir uns oft unnötig unter Druck:

- Leistung zu zeigen
- mehrmals zum Orgasmus zu kommen

- nicht zu früh zu kommen
- gleichzeitig zu kommen

Speziell Frauen fühlen sich unter Druck gesetzt, eine »angemessene« Reaktion zu zeigen. »Mein früherer Freund machte sich immer solche Sorgen, ob ich ›kam‹, dass ich schließlich so tat als ob. Ich konnte das Ganze gar nicht mehr richtig genießen. Er meinte, dass er mir zu einem Orgasmus verhelfen müsse, und jedes Mal, wenn wir ins Schlafzimmer gingen, stand ich unter Leistungsdruck. Er glaubte mir nicht, als ich sagte, es sei ganz in Ordnung für mich, nicht jedes Mal zu kommen. Das war auch der Grund, warum wir uns getrennt haben.« Werfen Sie nur mal einen Blick in die gängigen Frauenzeitschriften, in denen zahllose Artikel erscheinen, mit deren Hilfe sich Frauen anhand von Fragebögen über ihre Orgasmusfähigkeit oder den Klitoris-, Scheiden- oder G-Punkt-Orgasmus einschätzen sollen. Eine Frau meinte: »Woher soll ich das wissen? Ich weiß nur, was ich fühle, und nicht, was bei anderen passiert.«

In einer kürzlich in der *New York Times* veröffentlichten Studie, gaben 26 Prozent der Frauen an, dass sie regelmäßig beim Sex (orale, manuelle Stimulation oder Geschlechtsverkehr) keinen Orgasmus erlebten, 23 Prozent der Frauen erklärten, dass Sex für sie nicht angenehm sei, und 33 Prozent der Männer sagten, dass sie ständig Probleme mit einem vorzeitigen Orgasmus hätten.

Was haben diese Statistiken zu bedeuten? Zuerst einmal spiegeln sie das hohe Maß an sexueller Unzufriedenheit unter Männern und Frauen. Zum Zweiten zeigen sie indirekt, welchem Druck Männer und Frauen ihrer Meinung nach ausgesetzt sind, einen Orgasmus zu haben. Andere Studien belegen eindeutig den unmittelbaren Zusammenhang zwischen der Psyche und den körperlichen Reaktionen der Frauen beim Sex.

Sie tun ihr und sich selbst also keinen Gefallen, wenn Sie dem Akt selbst so viel Bedeutung zumessen, dass Spaß, Lust und Erregung dabei zu kurz kommen. Ich stimme mit Dr. Beverly Whipple überein, die sagt, dass alles, was wir in diesem Bereich tun, »eine genussorientierte sexuelle Erfahrung sein sollte, keine zielorientierte«. Sie ist auch überzeugt, dass niemand das Recht hat, einem anderen Menschen zu sagen, seine sexuellen Erfahrungen seien unzureichend oder unnormal. Wir alle verdienen es, unsere eigenen, ganz speziellen Orgasmen zu erleben – egal, wie oder wann.

Die richtige Einstellung

Wie können wir das Thema des allmächtigen Orgasmus angehen, seinen mythischen Stellenwert reduzieren und ihm wieder seine natürliche Bedeutung zuweisen? Zuerst muss man sich des vorhandenen Erfolgsdrucks bewusst werden und sich dann dazu entschließen, ihn zu reduzieren. Ich glaube, der beste Weg dahin besteht darin, eine weniger zielorientierte Einstellung beim Liebesspiel zu entwickeln. Dadurch wird das große O einen Teil seiner Macht einbüßen, und – Überraschung – oft wird der Orgasmus dann viel intensiver! Eine weniger zielorientierte Einstellung bedeutet Offenheit und Spontaneität, bei der man sich weniger auf den Orgasmus konzentriert und keine so große Erwartungshaltung einnimmt. Ein Immobilienmakler aus Houston beschrieb seine Frustration bezüglich der zu starken Betonung des Orgasmus so: »Da wir kleine Kinder haben, scheint es nie möglich zu sein, uns für uns Zeit zu nehmen. Wir müssen uns auf die schnelle Nummer beschränken, wenn einer von uns das Bedürfnis danach hat. Aber wenn wir am Samstagabend oder Sonntagmorgen Sex haben und uns richtig Zeit nehmen können, ist es ganz anders – das ganze Gefühl, die Verbundenheit und der Orgasmus.«

Ich möchte es noch einmal betonen: Wenn Sie Ihrer Partnerin geholfen haben, Geist und Körper zu entspannen, wird es ihr viel leichter fallen, einen Orgasmus zu erleben. Eine Rechtsanwältin aus Pittsburgh berichtete Folgendes: »Ich hatte noch nie einen Orgasmus mit einem Mann erlebt, bis mich mein damaliger Freund oral liebkoste. Als er dort unten zugange war, dachte ich so bei mir, dass wohl nichts passieren würde. Dann sagte er: ›Ich würde dich am liebsten auffressen.‹ Ich dachte mir, dass er ruhig weitermachen sollte, wenn es ihm solchen Spaß machte. Und zehn Minuten später erlebte ich wie aus heiterem Himmel meinen ersten Orgasmus. Jetzt ist mir klar, dass es darauf zurückzuführen ist, dass ich völlig entspannt war und nicht darauf gewartet habe. Ich kannte das Gefühl durch Selbstbefriedigung und den Gebrauch meines Vibrators, aber irgendwie mussten sich wohl erst die Nervenwege öffnen, um zu lernen, was sie fühlen und erwarten sollten. Danach bekam ich regelmäßig durch oralen Sex einen Orgasmus.«

Eine andere Frau fasste ihre Erfahrung so zusammen: »Mein Geliebter und ich verbrachten einen Nachmittag zusammen und ich geriet irgendwie ins Träumen, als er mit meiner Klitoris spielte. Es war ein fauler, ruhiger Tag und das, was er tat, entspannte mich so sehr, dass ich plötzlich von meinem Orgasmus wie überwältigt war. Es war das erste Mal, dass ich mit einem Mann wirklich zum Höhepunkt gekommen war.« In beiden Fällen hatten die Frauen keine hohen Erwartungen oder eine bestimmte Absicht und wurden dann von ihrem Orgasmus angenehm überrascht.

Ein weiterer wichtiger Punkt, wenn es darum geht, Ihrer Partnerin zum Orgasmus zu verhelfen, ist die Frage, wie und warum das Vorspiel für Frauen so wichtig ist. Wie ich bereits an anderer Stelle erläutert habe, kommen die meisten Frauen durch manuelle und orale Stimulation zum Orgasmus. Männer warten mit dem Orgasmus im Allgemeinen bis zum eigentlichen Geschlechtsverkehr.

Wenn Sie das Vorspiel als wichtigen Bestandteil der sexuellen Begegnung betrachten und nicht nur als ein Vorstadium des Geschlechtsverkehrs, fällt es Ihnen möglicherweise leichter, ihre Wünsche zu erfüllen und sie zum Orgasmus zu bringen, als wenn Sie sich immer darauf konzentrieren, was Sie als Nächstes tun sollten. Ein Barbesitzer aus New York sagte: »Ich finde es wahnsinnig, wenn sie kommt, ehrlich. Als Mann mag ich Resultate. Aber was mich noch stärker erregt ist die Tatsache, dass ich es schaffe, meiner Frau ein *so* gutes Gefühl zu geben. Der ganze Ablauf ist wichtig für mich – nicht nur die Zielgerade.« Da die meisten Männer vor der Partnerin zum Orgasmus kommen (auf das Thema ›gleichzeitiger Orgasmus‹ kommen wir etwas später in diesem Kapitel noch zu sprechen), ist es Ihre Aufgabe, sich zuerst auf sie zu konzentrieren. Natürlich möchte sie auch, dass Sie kommen, aber trotzdem sollten Sie ihr Bedürfnis zuerst erfüllen. Wenn Sie diese »uneigennützige« Einstellung haben, garantiere ich Ihnen, dass Ihre Partnerin Ihnen den Gefallen, den Sie ihr tun, dreifach zurückgeben wird.

Geheimtipp aus Lous Archiv

Die bekannten Sextherapeuten und Autoren Dr. Michael Riskin und Anita Baker-Riskin erklären, dass die meisten Männer in den ersten drei Minuten des Geschlechtsverkehrs zum Orgasmus kommen, ihren Höhepunkt jedoch bis zu sieben Minuten lang hinauszögern können. Frauen brauchen normalerweise mehr Zeit, aber nicht immer.

Um Ihrer Partnerin zu den größten Wonnen zu verhelfen, sind zu 95 Prozent Entschlossenheit und Hingabe und nur zu 5 Prozent Talent erforderlich. Beim Talent geht es im Prinzip nur darum, dass Sie die Topographie des Gebietes und die Vorlieben und Abneigungen Ihrer Partnerin kennen.

Das richtige Timing

Wie oben bereits erwähnt, kommen Frauen oft vor dem Mann, da die meisten Frauen schon durch orale oder manuelle Stimulation beim Vorspiel den Höhepunkt erreichen. Dies ist keine Vorschrift, sondern eine weit verbreitete Praxis. Doch Sie könnten diese Routine umkrempeln, indem Sie vorher fragen, wer zuerst an der Reihe sein möchte. Was Sie dabei entdecken, könnte Sie überraschen. So möchte eine Reihe von Frauen in meinen Seminaren den Orgasmus am liebsten hinausschieben, bis sie penetriert werden. Eine Architektin aus Dallas berichtete: »Je erregter ich werde, desto mehr wünsche ich mir, dass er in mich eindringt.« Eine andere Seminarteilnehmerin erklärte: »Manchmal sehne ich mich einfach danach, ihn in mir zu spüren. Es ist möglich, dass ich bereits einen Orgasmus beim oralen Sex hatte, aber ich fühle mich erst vollständig, wenn er in meinem Innern ist.« Eine andere Frau drückte es direkter aus: »Manchmal pack ich ihn einfach und sage: ›Jetzt, ich will dich jetzt in mir spüren!‹« Ich will Ihnen, meine Herren, damit zweierlei klar machen: Obwohl Ihre Finger oder Ihre Lippen der Auslöser für ihren Orgasmus waren, *reicht* das Gefühl beim Sex darüber *hinaus*. Und zweitens ist es für viele Frauen erst die Penetration, die das Gefühl des Orgasmus *vervollständigt*.

Ein weiterer Aspekt des richtigen Timings, den Sie berücksichtigen sollten, ist die biologische Uhr des weiblichen Zyklus. Manchmal macht sich ihr Zyklus als wunderbarer Lockruf der Natur bemerkbar, wenn sie den Partner unerwartet und besonders intensiv »will«. Bei anderen Gelegenheiten werden Sie Mutter Natur wahrscheinlich verfluchen, wenn Ihre Partnerin distanziert, reizbar oder einfach desinteressiert scheint. Sicherlich haben Sie alle schon vom PMS (prämenstruelles Syndrom) gehört, wodurch es bei manchen Frauen zu drastischen Stimmungsschwankungen kommt, während andere nicht unter besonderen Symptomen leiden. Denken Sie bitte immer daran, dass diese Schwankungen der Stimmung und der sexuellen Bereitschaft einfach Bestandteil der weiblichen Biologie und keine Schikanen sind. Wenn ihr nicht nach Sex zumute ist, kann dies manchmal natürlich auch auf Müdigkeit oder Stress zurückzuführen sein, aber öfter hat es damit zu tun, in welcher Phase ihres Zyklus sie sich gerade befindet.

Das offensichtliche Anzeichen des weiblichen Zyklus ist die monatliche Menstruation. In der Zeit von der Pubertät bis zu den Wechseljahren menstruieren gesunde Frauen in einem Zyklus von vierundzwanzig bis zweiunddreißig Tagen. Ihre »Tage« sind nur die sichtbare Phase des gesamten Fortpflanzungszyklus. Der Zyklus beginnt mit dem ersten Tag der Menstruation und endet mit Beginn der nächsten Periode. Die erste Phase des weiblichen Zyklus, die so genannte »Follikelphase«, dauert bis zu zwölf Tage und beginnt mit dem ersten Tag der Periode. In dieser Zeit wird die Schleimhaut der Gebärmutter abgestoßen, was zur Blutung führt. Die meisten Frauen bluten drei bis fünf Tage lang und manche leiden dabei unter heftigen Unterleibskrämpfen. Diese Phase ist aus zwei Gründen normalerweise eine gute Zeit für Sex: (1) Wenn sie einen Orgasmus erlebt, können die Gebärmutterkrämpfe gelindert werden, und (2) ist die Chance einer Schwangerschaft sehr gering. Am Ende dieser Phase erreicht der Endorphin-Spiegel seinen Höhepunkt und die erhöhte Östrogenproduktion sorgt für viel Feuchtigkeit in der Scheide. Morgens ist der Endorphin-Spiegel am höchsten. Endorphine sorgen im Körper für Glücksgefühle.

Manche Frauen und Männer fühlen sich nicht so recht wohl dabei, während der weiblichen Blutung Sex zu haben. In manchen Fällen ist dies auf ein Tabu zurückzuführen, das bis zur Zeit des Alten Testaments zurückzureichen scheint, als das Blut der Frau als »unrein« galt und es daher »eine Sünde« war, zu diesem Zeitpunkt Sex zu haben. Selbst heute ziehen es viele Frauen vor, während der Periode keinen Sex zu haben, weil sie es als unangenehm und peinlich empfinden. Frauen sorgen sich auch, dass ihr Partner das Blut und seinen Geruch nicht mag. Männer fragen sich auch, ob es »in Ordnung« ist, zu dieser Zeit Sex zu haben. Mein Rat an die Herrenwelt lautet: Wenn es Ihnen nichts ausmacht, sollten Sie Ihre Partnerin ermutigen, offen und empfänglich für Sex zu sein. Sie könnten ihr beispielsweise sagen, dass die Blutung Ihnen nichts ausmacht. Eine solche Einstellung kann ein wunderbares Zeichen von Liebe und Intimität sein. Ein Marketing-Manager für Sportartikel meinte: »Mir ist es egal. Meine Frau ist diejenige, die es nicht mag. Ich mag ihren Körper immer. Ich bin achtundzwanzig Tage im Monat für sie da.«

Die nächste Phase ist die »Ovulationsphase«, die zwischen dem 13. und 15. Tag liegt und drei Tage andauert. In dieser Zeit ist sie ganz auf Sex eingestellt. Ein Anzeichen dieser Phase ist bei den meisten Frauen der eiweißartige Schleim in der Scheide. Eine Eizelle wandert während dieser drei Tage im Eileiter Richtung Gebärmutter und der zähe Muttermundschleim wird durchlässiger, sodass es für das Sperma leichter ist, die Eizelle zu erreichen. Fachleute sagen, dass Frauen in dieser Phase mehr Testosteron produzieren, was für ihren stärkeren Sexualtrieb in diesen drei Tagen verantwortlich ist.

Die »Gelbkörperphase« findet vom 16. bis 30. Tag statt. Wenn die Frau in der Ovulationsphase schwanger wird, ist dies die Zeit, in der die befruchtete Eizelle heranwächst. Die Frau produziert jetzt Progesteron, ein Hormon, das die Gebärmutterschleimhaut dicker werden lässt und die Endorphine hemmt, die die Entwicklung der Eizelle stören würden. In dieser Zeit des Monatszyklus könnte Ihre Partnerin aufgrund des PMS gereizt sein, was Sie vielleicht schon erlebt haben. Diese Gereiztheit endet normalerweise mit dem Beginn der Blutung.

Was nun das Timing bei Ihnen angeht, meine Herren, habe ich immer wieder Hilferufe gehört. Die meisten Männer lernen, durch das Masturbieren zum Orgasmus zu kommen, was völlig normal ist. Doch weil Sie beim Masturbieren genau wissen, was zu tun ist, geht es wahrscheinlich schnell. Wenn Sie nun daran gewöhnt sind, schnell zum Orgasmus zu kommen, fällt es Ihnen vielleicht schwer, diese Gewohnheit aufzugeben, wenn Sie mit einer Frau Sex haben. Ihre Nervenbahnen sind auf Tempo programmiert, und Sie müssen jetzt bewusst lernen, den zeitlichen Ablauf neu zu bestimmen. Leider wird »schnell« allzu oft mit »vorzeitig« verwechselt, was Sie wahrscheinlich noch mehr unter Druck setzt. Bei einer vorzeitigen Ejakulation sollten Sie verschiedene Möglichkeiten ausprobieren, wie der Penis länger steif bleiben kann. Wie dies funktioniert, erläutere ich an späterer Stelle in diesem Kapitel (siehe S. 207f.).

Geheimtipp aus Lous Archiv

Die »vorzeitige Ejakulation« wird folgendermaßen definiert: Der Mann ejakuliert, bevor er es will.

Die verschiedenen Arten des weiblichen Orgasmus

Im Allgemeinen erleben die meisten Frauen einen Orgasmus in drei Bereichen: Klitoris, Scheide und G-Punkt. Doch der Orgasmus kann seinen Ursprung in irgendeinem Bereich von der Klitoris bis zu den Brustwarzen haben – manchmal kann sogar eine Kopfmassage einen Orgasmus auslösen.

Klitorisorgasmus

Der Klitorisorgasmus ist der häufigste Orgasmus und auch der intensivste. Tatsächlich braucht die Mehrzahl der Frauen irgendeine Form der Klitorisstimulation, um zum Höhepunkt zu kommen. Diese Art der Stimulation kann manuell, oral, mit einem Dildo oder Vibrator oder während des Geschlechtsverkehrs erfolgen. Manche Frauen mögen leichte, zarte Berührungen, um erregt zu werden, gefolgt von intensiverer oder schnellerer Stimulation. Andere Frauen bevorzugen es, nur mit leichtem oder starkem Druck liebkost zu werden. Wie immer sollten Sie zuerst fragen, was Ihre Partnerin mag, oder Sie beobachten, wenn sie sich selbst befriedigt.

Denken Sie daran, dass die Mehrzahl der Frauen durch manuelle oder orale Stimulation der Klitoris einen Orgasmus bekommen, nicht durch Penetration. Wenn eine Frau die vaginale Penetration bevorzugt, während sie an der Klitoris stimuliert wird, bietet ihr eine Position, bei der sie sich oben befindet, die beste Kontrolle.

Geheimtipp aus Lous Archiv

Die Klitoris ist der einzige Teil des menschlichen Körpers, dessen alleinige Funktion darin besteht, Vergnügen zu bereiten.

Der G-Punkt-Orgasmus

Mit Hilfe der Tipps, die Sie auf Seite 140 zum Thema G-Punkt finden, können Sie ganz leicht den G-Punkt Ihrer Partnerin aufspüren. Dr. Beverly Whipple, die Frau, die den Begriff »G-Punkt« geprägt hat, sagt, dass man diese wunderbare Stelle findet, indem man sich die Innenseite der Scheide wie eine kleine Uhr vorstellt, bei der die Zwölf in Richtung Nabel zeigt. Der G-Punkt befindet sich im Allgemeinen zwischen der Elf und Eins. Anders als die Klitoris, die unter ihrer Vorhaut hervorragt, liegt der G-Punkt in der Scheidenwand und umgibt die Harnröhre. Er ist kaum spürbar, wenn die Frau nicht erregt ist.

Sie können Ihrer Partnerin helfen, selbst ihren G-Punkt zu finden, indem Sie vorsichtig Ihren Finger in ihre Scheide einführen und ihn in Richtung Bauch krümmen. Ihre Partnerin kann dies auch selbst tun, wenn sie sich hinhockt. Denken Sie daran, dass eine gewisse Erregung notwendig ist, um ihn zu spüren. Es ist aber auch kein Drama, wenn Sie ihn nicht finden. Ihre Partnerin hat viele andere erogene Zonen. Für einen G-Punkt-Orgasmus setzen Sie Ihren Finger mit einer »Komm her«-Bewegung oder einem speziell geformten Dildo oder Vibrator während der Penetration ein. Die besten Positionen zur G-Punkt-Stimulation beim Geschlechtsverkehr sind folgende:

1. Von hinten.
2. Die Frau liegt oben und schaut ihm ins Gesicht oder blickt, was oft noch besser ist, in Richtung seiner Füße.
3. Der Mann liegt oben, wobei die Frau ihre Beine über die Arme oder Schultern ihres Partners legt. In dieser Position haben Männer mit einem gekrümmten Penis aufgrund der Krümmung eine größere Chance, den G-Punkt zu stimulieren. Manche Männer, bei denen der erigierte Penis gerade

ist, nehmen beim Geschlechtsverkehr eine nach hinten ge-
beugte Körperhaltung ein, um den richtigen Winkel zu erzielen.

Geheimtipp aus Lous Archiv

Einige Forscher haben herausgefunden, dass fast 40 Prozent aller
Frauen beim Orgasmus ejakulieren, während andere Wissenschaftler
einen viel geringeren Prozentsatz nennen. (*The Kinsey Institute New
Report on Sex*, 1990)

Der vaginale Orgasmus

Für diese Form des Orgasmus sind dieselben Nervenbahnen
wie beim G-Punkt-Orgasmus verantwortlich. Der Grund dafür ist, dass die Klitoris in Wirklichkeit viel größer ist, als sie
aussieht, da ihre »Beine« sich entlang der Scheidenwand erstrecken.

Zu einem vaginalen Orgasmus kann es auch durch das Zusammenziehen der Beckenbodenmuskulatur während der Penetration kommen. Eine rhythmisch pulsierende Bewegung –
entweder kurze, schnelle Kontraktionen oder längere, langsa-
mere – können die Nervenenden stimulieren. Frauen beschreiben ihn als einen sehr tiefen, nach außen drückenden Orgasmus.

Die koitale Ausrichtungstechnik

Bei dieser Technik müssen zwei Teile der männlichen und weiblichen Genitalien aneinander ausgerichtet werden: die Klitoris
und die Beckenknochenregion am Ansatz des Penis. Der Beckenbereich des Mannes wird durch Fettgewebe abgepolstert, sodass es sich hier nicht nur um harten Knochen handelt. Wenn

der Mann tief genug in die Scheide seiner Partnerin eingedrungen ist und ständigen Kontakt zwischen ihrer Klitoris und seinem Beckenknochen erhält, kann die Frau zum Orgasmus kommen, indem er eine sanfte, wiegende Bewegung mit dem Unterkörper macht. Bei der typischen Stoßbewegung des Mannes (wenn dieser sich oben befindet), wird dagegen nicht genug konstanter Kontakt zum Klitorisbereich aufgebaut, um die Frau zum Orgasmus zu bringen.

Muttermundorgasmus

Bei manchen Frauen kann auch ein tiefer und konstanter Druck auf den Muttermund zum Orgasmus führen. Es ist der hypergastrische Nervenpfad im Becken, der durch diesen Druck stimuliert wird.

Harnröhrenorgasmus

Davon ausgehend, was wir über die Größe und Abmessung der Klitoris wissen, ist es einleuchtend, dass die Stimulierung der Harnröhre für manche Frauen sehr erregend ist. Schließlich ist sie an drei Seiten vom Klitoriskörper umgeben. Die Harnröhrenöffnung, die sich zwischen Klitorisspitze und Scheidenöffnung befindet, wird durch die stoßenden Bewegungen beim Geschlechtsverkehr ebenso stimuliert sowie bei oraler und manueller Stimulation, wenn kleinere und direktere Bewegungen eingesetzt werden können.

Neben den allgemein bekannten Wegen zum weiblichen Orgasmus gibt es noch viele andere sinnliche Möglichkeiten, die vom Berühren der Brustwarzen über erotische Fantasievorstellungen, das Reiben der Klitoris am Bein des Partners bis zu liebevollen Schlägen auf den Po reichen. (Obwohl ich weiß, dass es Frauen gibt, die Bondage- und Sadomaso-Orgasmen mögen, möchte ich dieses Thema lieber jenen überlassen, die auf diesem Gebiet bewanderter sind als ich.) Hier einige nicht so bekannte Orgasmusformen.

Brustorgasmus

Ich mache Ihnen hier nichts vor – ehrlich. Manche Frauen berichten, dass sie das Lecken und das Streicheln ihrer Brüste und Brustwarzen so in Erregung versetzt, dass sie kommen. Ich glaube, dass dies ein weiterer Beweis für die Empfindsamkeit unserer Haut und unseres Geistes ist!

Geheimtipp aus Lous Archiv

Die Mehrheit der Frauen sagt, dass sie am regelmäßigsten durch oralen Sex und manuelle Stimulation zum Orgasmus kommen.

Stimulation des gesamten Körpers

Bei einigen Frauen kann auch die Stimulation des gesamten Körpers zum Orgasmus führen. Ihre Partnerin wird den eigentlichen Orgasmus wahrscheinlich im Becken spüren, aber es sind Ihre auf ihrem Körper umherwandernden Hände, Ihre Finger und Ihre Zunge, mit denen Sie das Gefühl hervorrufen.

Geheimtipp aus Lous Archiv

»Jede Frau scheint ihr eigenes Orgasmusmuster zu haben. Dieses Muster ist so individuell, dass Hartman, Fithian und Campbell, anerkannte Sexualtherapeuten und Forscher, diese Individualität als ›orgastischen Fingerabdruck‹ bezeichnen. Das Orgasmusmuster jeder Frau ist so einzigartig wie ihr Fingerabdruck.« (Dr. Lonnie Barbach)

Weibliche Ejakulation

Manche Frauen spüren den Austritt von Flüssigkeit, wenn sie zum Orgasmus kommen oder einen besonders starken Orgasmus erleben. Dabei handelt es sich nicht um Urin, sondern um eine Absonderung der Drüsen, die die Harnröhre umgeben. Etwa 150 dieser Drüsen führen in die Harnröhre und befinden sich an der Harnröhrenwand. In Untersuchungen, die von Dr. Paco Cabello, einem spanischen Urologen durchgeführt wurden, sammelte man Urinproben von Frauen vor und nach der sexuellen Stimulation ohne männlichen Partner. Dr. Cabello stellte fest, dass sich in den Urinproben nach der Stimulation PSA – ein prostataspezifisches Antigen – befand. Dies ist ein weiterer Grund, warum der G-Punkt-Bereich auch als weibliche Prostata bezeichnet wird.

Manche Frauen ejakulieren regelmäßig, andere nur hin und wieder und manche nie, wobei das Ejakulat Dr. Cabello zufolge vielleicht auch fälschlicherweise als normale Scheidenabsonderung betrachtet wird, da die Menge so gering ist (2 bis 3 cm^3).

Geheimtipp aus Lous Archiv

Sowohl Männer als auch Frauen haben so genannte »Liebesmuskeln« – genauer gesagt, die Beckenbodenmuskulatur –, die den Orgasmus verbessern können, wenn sie straff sind. Wie alle anderen Muskeln können sie trainiert werden, wozu aber niemand ins Fitnessstudio gehen muss. Wenn der Mann die Beckenbodenmuskulatur anspannt, bewegt sich sein Penis nach oben. Frauen können die Beckenbodenmuskulatur trainieren, indem sie beim Urinieren den Strahl kurz einhalten. Eine gute Übung für Männer besteht darin, einen Waschlappen auf den erigierten Penis zu legen und ihn zu heben.

Ein Seminarteilnehmer berichtete, dass seine Partnerin »ungeheuer feucht« wurde, als er ihre Brustwarzen stimulierte. »Sie war so nass, dass nicht nur das Bettlaken, sondern auch die Matratze nass war«, erläuterte er. »Und beim oralen Sex hörte ich dieses Plätschern, das besonders offensichtlich war, da es normalerweise dort unten nicht so viel zu hören gibt.« Diese Geschichte zeigt, dass manche Frauen schon bei geringster Stimulation ejakulieren.

Es liegt an den Chromosomen

Männer und Frauen sind verschieden, und dieser Unterschied wird beim Orgasmus sehr offensichtlich. Sowohl Männer als auch Frauen haben zwei separate Nervenbahnen für den Orgasmus: den *Pudendus-* und den Beckennerv. Aufgrund dieser beiden Nervenbahnen erleben Männer und Frauen den Höhepunkt anders.

Dr. Lonnie Barbach schreibt in ihrem Buch *For Each Other* dazu: »Der Pudendusnerv versorgt die Klitoris, die Beckenbodenmuskulatur, die inneren Schamlippen, die Haut des Perineums und die Haut im Afterbereich. Der Beckenbodennerv führt zur Scheide und zur Gebärmutter. Die Tatsache, dass der Pudendusnerv sehr viel mehr sensorische Fasern aufweist als der Beckennerv, und Nervenenden enthält, die sehr berührungsempfindlich sind, mag dafür verantwortlich sein, dass ein größerer Prozentsatz von Frauen stärker auf die Stimulation der Klitoris reagiert. Die Zwei-Nerven-Theorie könnte mehr als nur die Unterschiede zwischen vaginal und klitorial hervorgerufenen Orgasmen erklären. Da sich die beiden Nerven im Rückenmark teilweise überlappen, könnten sie auch ›gemischte Orgasmen‹ erklären, die sowohl klitorial als auch vaginal induziert sind.«

Bei Frauen verlaufen die Klitorisorgasmen also entlang der Bahn des Pudendusnervs, während vaginale und G-Punkt-Or-

gasmen entlang der Bahn des Beckennervs verlaufen. Beim Klitorisorgasmus ist eine nach oben ziehende Empfindung spürbar, während es beim vaginalen und G-Punkt-Orgasmus eine
nach unten drückende ist. Beim Mann wird die Stimulation
des Penis auf der Bahn des Pudendusnervs weitergeleitet und
die Stimulation von G-Punkt bzw. Prostata auf der Bahn des
Beckennervs.

Geheimtipp aus Lous Archiv

Zum »gemischten Orgasmus« kommt es, wenn beide sexuellen Nervenbahnen gleichzeitig stimuliert werden: bei Frauen die Klitoris und
der G-Punkt, bei Männern der Penis und die Prostata.

Der männliche Orgasmus

Keine Angst, ich habe Sie nicht vergessen, meine Herren. Ich
denke aber, dass Sie bereits wissen, wie Sie zum Orgasmus
kommen. Allerdings möchte ich bestimmte Fragen und Techniken ansprechen, die für Sie von Interesse sein könnten: Sie
können beispielsweise lernen, wie Sie eine Erektion länger auf-
rechterhalten und Ihrer Partnerin mehr Vergnügen bereiten
können.

Der Orgasmus des Mannes besteht im Wesentlichen aus zwei
Phasen. Dr. Barbara Keesling zufolge, handelt es sich bei der
ersten Phase um die Emissionsphase, in der die »Kanone« mit
der Samenflüssigkeit geladen wird, die sich in der Prostata an-
gesammelt hat. Als Nächstes folgt die Ausstoßphase, in der die
»Kanone« Ejakulat aus dem Körper schießt, wobei rhythmische Gefühlswellen entstehen, die durch den ganzen Körper flu-
ten. Der gesamte Ejakulationsprozess – Emission und Ausstoß
– dauert etwa zwei Sekunden. Dr. Keesling schreibt: »Es ist sehr

wichtig, dass Sie den Ejakulationsprozess und seinen zeitlichen Ablauf genau verstehen, wenn Sie Meister Ihres Körpers sein wollen. Bei den meisten Männern ist das Zusammenziehen der Beckenbodenmuskulatur beim Samenausstoß ein unwillkürlicher Prozess. Doch wenn Sie die Kontrolle über die Beckenbodenmuskulatur übernehmen, können Sie die Ejakulation willkürlich hinauszögern oder verhindern.« Das bedeutet, dass Sie Ihre Beckenbodenmuskulatur regelmäßig trainieren sollten, z.B. mit der Waschlappen-Übung auf S. 203. Durch das Muskeltraining werden Sie bei der Penetration und bei den Stoßbewegungen mehr Kontrolle ausüben können, mehrere Orgasmen hintereinander bekommen und mehr sexuelle Vitalität spüren.

Männer scheinen sich viel zu viele Gedanken darüber zu machen, wie oft sie pro Nacht Sex haben und zum Orgasmus kommen können. Sie sollten auf die Frauen hören, die sagen, dass einmal vollkommen ausreicht, wenn es richtig gut ist. Vielleicht ist es für Sie interessant zu hören, meine Herren, dass bei Männern die Anzahl mit zunehmendem Alter normalerweise abnimmt. Es gibt jedoch keine Statistiken, die dies belegen, da dazu noch keine wissenschaftlichen Untersuchungen durchgeführt wurden. Bei den meisten Männern ist einmal die Norm, und mit zunehmendem Alter nimmt die Zeit zwischen den Erektionen zu. Bei manchen Männern ist jedoch bei der Zeit zwischen den Erektionen und/oder der Stärke der Erektionen im Verlauf ihres Lebens keine Veränderung bemerkbar.

Geheimtipp aus Lous Archiv

Die meisten Frauen wissen, dass ihr Partner masturbiert. Sie wissen aber möglicherweise nicht, *warum* die Männer dies tun. Sie könnten denken, dass Sie als Mann sexuell nicht befriedigt sind, oder dass mit Ihrer Liebesbeziehung etwas nicht in Ordnung ist. Sie sollten Ihrer Partnerin deshalb sagen, dass sie durch nichts zu ersetzen ist.

Tipps zur Verbesserung des Stehvermögens

Obwohl viele Frauen nicht wollen, dass die Erektion ihres Partners stundenlang anhält (schließlich kann eine längere Penetration bei ihr zu Wundsein und Reizungen führen), gibt es Möglichkeiten, die Ausdauer zu verbessern.

• Penisringe können nicht nur das Vergnügen erhöhen, indem Sie bei Ihrer Partnerin das Gefühl des Ausgefülltsein verstärken, sondern sie können auch die Intensität und die Dauer Ihrer Erektion steigern. Achten Sie darauf, dass Sie den Penisring über den Penisschaft und den Hodensack schieben. Manche Männer bevorzugen es, ihn kurz bevor sie kommen, abzunehmen, andere behalten den Ring während des Orgasmus an. Männer sagen, dass der Penisring, mit dem Druck aufgebaut wird, auch das Gefühl beim Orgasmus erhöht.

• Die Drucktechnik: Wenn Ihr Penis erigiert ist, üben Sie direkt unterhalb der Spitze Druck aus. Dadurch wird der Orgasmus hinausgezögert, sodass das sexuelle Erlebnis verlängert werden kann. Sie könnten auch Ihre Partnerin bitten, dies für Sie zu tun.

• Desensibilisierendes Spray: Normalerweise empfehle ich solche Produkte nicht, da sie eine betäubende Zutat – Benzocain – enthalten. Doch Männer verwenden diese Sprays, um ausdauernder zu sein, wenn sie mehrmals hintereinander Sex haben wollen.

• Viagra: Dieses pharmazeutische Phänomen ist für Männer gedacht, die unter Impotenz oder einer Dysfunktion der Peniserektion leiden, und sollte nur unter Aufsicht eines Arztes verwendet werden. Obwohl Viagra in vielen Berichten als »Wundermittel« beschrieben wird, das Männern zu stundenlangen Erektionen verhilft, mehren sich auch die Fälle des Missbrauchs dieses Medikaments. Nachdem ein junger Mann Anfang zwanzig zwei Viagra eingenommen hatte, kam er dreimal zum Orgasmus und hatte noch immer eine Erektion. Eine zu lange Erektion kann jedoch zur permanenten Schädigung des Penisgewebes führen, ein Zustand, der als »Priapismus« bezeichnet wird.

Geheimtipp aus Lous Archiv

Aufgrund der hohen Zahl an Kunstfehlern durch verpfuschte Operationen zur Vergrößerung des Penis, hat sich ein neuer Bereich juristischen Fachwissens entwickelt.

Techniken zur Penisvergrößerung

Es gibt grundsätzlich zwei Techniken zur Vergrößerung der Länge oder des Umfangs des Penis. Bei beiden Techniken ist Vorsicht geboten.

1. Eine Operation, bei der die Bänder im oberen Bereich des Penis durchtrennt werden, lässt den Penis im weichen Zustand länger erscheinen. Wenn der Penis allerdings erigiert ist, verliert er einen Teil seiner Stabilität und »wackelt«.
2. Eine Injektion von Fettgewebe in den Penis, das einem anderen Körperbereich entnommen wurde, dient zur Vergrößerung seines Umfangs. Allerdings wird das Fettgewebe oft unregelmäßig vom Körper absorbiert, sodass der Penis hinterher »klumpig« und missgebildet aussehen kann.

Geheimtipp aus Lous Archiv

Verwechseln Sie die Härte der Erektion nicht mit der Stärke Ihrer Erregung. Sie können eine tolle Erektion haben, aber keinesfalls kurz vor dem Orgasmus stehen. Betrachten Sie die Erektion als Maß für die Blutzufuhr zum Penis und die Erregung als das Maß sexueller Bereitschaft.

Weitere Fakten über den männlichen Orgasmus

- Manche Männer können einen Orgasmus erleben, auch wenn der Penis weich ist.
- Viele Männer lieben einen »gemischten Orgasmus«, d.h. gleichzeitige Stimulation von Penis und G-Punkt und Prostata.
- Manche Männer erleben einen »trockenen« Orgasmus, wobei sie zum Höhepunkt kommen, ohne dabei zu ejakulieren. Dies kann zwei verschiedene Gründe haben: Entweder kontrolliert (d.h. unterdrückt) er die Ejakulation oder nach heftiger, längerer Aktivität ist einfach »nichts mehr im Tank«.
- Auch Männer täuschen manchmal einen Orgasmus nur vor. Wenn sie das Gefühl haben, dass sie nicht kommen werden, tun andere so, als ob sie gerade einen Krampf in der Lendengegend haben, oder bekommen plötzlich Bauchschmerzen.

Geheimtipp aus Lous Archiv

Beim »mehrfachen Orgasmus« der Frau kommt es zu mehr als einem Orgasmus während eines Geschlechtsverkehrs. Der »mehrfache Orgasmus« beim Mann bedeutet mehr als ein Orgasmus mit derselben Erektion, ohne dass der Penis zwischendurch weich wird.

Mehrfache oder gleichzeitige Orgasmen

Mir geht es hier um zweierlei: Zum einen möchte ich einige Mythen in Sachen Sex entlarven, speziell, was den mehrfachen und gleichzeitigen Orgasmus betrifft, und zum anderen möchte ich Sie dazu ermutigen, neue Spielarten der Liebe auszuprobieren.

Jeder Mythos enthält ein Körnchen Wahrheit, aus dem dann ein ganzer Sandstrand gemacht wurde. So wurden in den Medien so viele Berichte über tolle mehrfache und gleichzeitige Orgasmen geschrieben. Aber gibt es sie wirklich? Bei manchen Menschen ja, während andere sie nie erleben.

In den Seminaren handelt es sich bei den Männern und Frauen, die sagen, dass sie gleichzeitig zum Orgasmus kommen, immer um Menschen, die schon lange in ihrer Beziehung leben und den Körper und die sexuellen Reaktionen des Partners sehr gut kennen. Eine Krankenschwester aus Lexington, Kentucky, berichtete: »Ich bin Spanierin und wurde streng katholisch erzogen. Als ich heiratete, war ich noch Jungfrau und wusste überhaupt nichts über Sex. Mein Mann und ich kommen oft zusammen; ich dachte, das sei bei allen so. Doch erst als meine amerikanischen Freundinnen mir erzählten, dass dies sehr ungewöhnlich sei, erkannte ich, dass ich eine Ausnahme bin. Jetzt weiß ich, dass es bei uns funktioniert, weil wir uns körperlich so gut kennen.«

Es gibt jedoch Menschen, die trotz aller Versuche keinen gleichzeitigen Orgasmus erleben. Oft hat dies mit ihrer Physiologie zu tun: Aufgrund seiner Penisform kann der Mann nicht dazu in der Lage sein, den richtigen Punkt bei ihr zu »treffen«, oder die Frau kann vielleicht nur durch direkte Stimulation der Klitoris zum Orgasmus kommen, was beim eigentlichen Geschlechtsverkehr jedoch oft schwierig ist. Sie sollten sich also nicht als Versager fühlen, meine Herren, wenn der gleichzeitige Orgasmus nicht Teil Ihres sexuellen Repertoires ist.

Die Mitarbeiterin einer Investment-Bank aus Boston sagte: »Ich habe es schließlich aufgegeben, anderen sexuell in nichts nachstehen zu wollen. Mein Mann und ich litten unter solchem Stress, weil wir ständig versuchten, es genau nach Vorschrift zu machen, damit auch ja alles richtig war. Ich wollte dauernd etwas Neues ausprobieren, aber es ging zu weit. Wenn wir jetzt mal etwas Neues versuchen, haben wir einfach nur unseren Spaß. Wenn es funktioniert – gut, und wenn nicht, ist es auch nicht weiter schlimm.«

Es gibt aber durchaus Möglichkeiten für Männer und Frauen, ihren Körper für einen mehrfachen Orgasmus fit zu machen. Beginnen Sie mit dem Training der Beckenbodenmuskulatur. Bei beiden Geschlechtern zieht sich dieser Muskelbereich von der Vorderseite zur Rückseite des Beckens hin. Männer haben zwei Öffnungen in diesem Muskelbereich – den After und die Harnröhre –, während es bei den Frauen drei sind: After, Scheide und Harnröhre. Beim Mann ist es die Kontrolle der Ausstoßphase, die es ihm ermöglicht mehrere Orgasmen zu erleben. Bei Frauen ist eine starke Beckenbodenmuskulatur die Voraussetzung für einen intensiven Orgasmus. Frauen sind von Natur aus eher dazu in der Lage, mehrmals hintereinander zum Höhepunkt zu kommen, da ihr Orgasmus nicht mit einer (so starken) Ejakulation verbunden ist, die dem Mann sehr viel Energie raubt.

Doch bei den meisten Paaren sind mehrfache oder gleichzeitige Orgasmen das Ergebnis harter Arbeit. Bitte beachten Sie den hier verwendeten Begriff: Arbeit.

Die Fähigkeit des Mannes, seine Partnerin zu befriedigen und sein Vergnügen mit ihr zu teilen, ist der wahre Test seiner Liebesfähigkeit. Ihr zum Orgasmus zu verhelfen, ist dabei nur ein Punkt. Aber obwohl ein Orgasmus nicht unbedingt mit Befriedigung gleichzusetzen ist, ist er für viele das Barometer, an dem sie messen, ob der Sex »gut« war oder nicht. Manche Menschen behaupten sogar, dass sie sich nicht richtig geliebt haben, wenn nicht zumindest einer von beiden oder besser beide gekommen sind. Statt Ihr Liebesspiel zu bewerten, sollten Sie es genießen. Ein Orgasmus soll für Sie beide ein Geschenk sein, kein Zwang.

9. Kapitel

Nächte im Rausch der Sinne: Sex, der ihr den Verstand raubt

Tiefe Verbundenheit

Sie haben nun also für Ihre Partnerin die gewünschte Entspannung und Romantik geschaffen; Sie haben sie durch oralen und manuellen Sex und vielleicht durch den raffinierten Einsatz des richtigen Spielzeugs in höchste Erregung versetzt. Jetzt ist es an der Zeit, ihr durch den sinnlichsten, hingebungsvollsten Geschlechtsverkehr, den Sie sich vorstellen können, zu höchsten Wonnen zu verhelfen. Letztendlich suchen wir alle dieses Erlebnis, bei dem es zu einem einzigartigen Gefühl tiefster Verbundenheit kommt. Eine Frau beschrieb es so: »Manchmal ist es fast überwältigend – dieses Gefühl, ihn jetzt gleich in mir spüren zu müssen! Nichts lässt sich mit dem Gefühl vergleichen, das ich erlebe, wenn er in mich eindringt.«

Auch beim Geschlechtsverkehr beginnt die echte Liebeskunst bei Ihrer Einstellung zum Sex. Eine Frau will nicht nur das Gefühl haben, dass Sie sie attraktiv finden und mit ihr schlafen wollen, sondern auch, dass sie respektiert wird. Erst wenn dieses Vertrauen hergestellt ist, wird sie es ungehemmt genießen, wenn Sie sie mit »Gusto« lieben.

Sie sollten ihrem ganzen Körper zärtliche Aufmerksamkeit geschenkt haben, bevor Sie eins mit ihr werden. Und zu guter

Letzt sollten Sie das Ganze sehr entspannt angehen und einfach sehen, was passiert.

Die meisten Frauen sind sich darüber im Klaren, dass der Geschlechtsverkehr anstrengend ist und viel Arbeit und Energie fordert. Dazu möchte ich eine kleine Geschichte erzählen. Ein Freund von mir und ich diskutierten über Sex und er meinte, dass Sex für den Mann wirklich harte Arbeit bedeuten kann. Als ich darüber lachte, sagte er: »Okay, Lou. Ich werde es dir beweisen, wenn du meinst, dass ich Witze mache.« Er stand auf, ging in die Mitte des Zimmers und legte sich auf den Teppich. Dann sagte er: »Also, ich bin die Frau und du bist der Mann. Leg dich auf mich.« Mit fragendem Blick legte ich mich auf ihn. Er schaute auf und sagte: »Jetzt musst du noch die Hüften in die richtige Position bringen und dann kannst du mit den Stoßbewegungen beginnen.«

Ich schaute zu ihm hinab und sagte erstaunt: »Ich wusste nicht, dass die Hüften in einer bestimmten Position sein müssen, um die Stoßbewegungen machen zu können. Dabei tun einem ja die Bauchmuskeln weh.«

Er nickte und sagte: »Mach weiter mit den Stoßbewegungen und pass auf, dass du mich nicht mit deinem Gewicht erdrückst.«

Zu diesem Zeitpunkt taten mir schon die Arme weh.

Er meinte: »Mach weiter mit den Stoßbewegungen, halte die Erektion aufrecht, pass auf, dass du mich nicht erdrückst, und dann schau mir in die Augen und sag mir, dass du mich liebst!« Ich konnte mich vor Lachen kaum noch halten, aber mir war klar, was er mir damit zeigen wollte.

Doch trotz all der harten Arbeit liegt das Schöne beim Sex gerade in der wunderbaren Reibung, die entsteht, wenn zwei Körper sich zusammen bewegen. Die Hauptbewegung beim Geschlechtsverkehr wird immer die Stoßbewegung des Penis sein, doch diese kann auch eine wahre Kunst sein. Hier einige

Vorschläge, die ich in den Seminaren für Frauen gesammelt habe:

1. Bitte fangen Sie ganz, ganz langsam an und erhöhen Sie dann das Tempo.
2. Wechseln Sie kurze Stoßbewegungen mit langen, tiefen Stößen ab.
3. Bewegen Sie Ihre Hüften in verschiedene Richtungen – kreisen Sie mit den Hüften oder bewegen Sie sie von einer Seite zur anderen. Oft haben Frauen am Scheideneingang verschiedene Bereiche, die unterschiedlich auf Druck reagieren. Mit Ihren Bewegungen können Sie diese heißen Punkte entdecken.
4. Wenn Sie zu lange brauchen, wird sie trocken. Manchmal können wir Frauen Sex fünfundvierzig Minuten lang genießen und manchmal ist es uns lieber, wenn es nur fünf Minuten dauert. Selbst wenn eine Frau sehr erregt und ganz feucht ist, ist das Gewebe der Vulva äußerst zart. Und wenn es einmal der Luft ausgesetzt ist, kann es vor allem bei Verwendung eines Kondoms sehr schnell trocken werden. Ich kann Ihnen versichern, meine Herren, dass sich das nicht angenehm anfühlt. Für dieses Problem gibt es zwei Lösungen: (1) Verwenden Sie ein Gleitmittel oder (2) fragen Sie sie nach einiger Zeit, ob sie sich so wohl fühlt und ob Sie sich glatt genug anfühlen.
5. Bitte bleiben Sie in ihrem Innern. Wenn Männer einmal so weit sind, möchten wir, dass sie auch dort bleiben.
6. Bitten Sie sie, die Initiative zu ergreifen und die obere Position einzunehmen – auf diese Weise erleben Sie live, was sie mag, und können es dann nachmachen, wenn Sie wieder an der Reihe sind.
7. Bleiben Sie bei den Stoßbewegungen in der Nähe ihres Klitorisbereichs. Die Spitze der Klitoris zu bearbeiten bringt

nichts. Was sie stimuliert, sind wiegende Beckenbewegungen und langsame Kreisbewegungen mit den Hüften.

Geheimtipp aus Lous Archiv

Jetzt weiß ich, warum die Geräte für das Bauchmuskeltraining im Fitnessstudio so beliebt sind, und warum fast jede Männerzeitschrift Übungen zur Stärkung des Rückens bietet: Je stärker die Bauchmuskulatur ist, desto geringer ist das Risiko, dass er mitten beim Geschlechtsverkehr erschöpft eine Pause einlegen muss.

Wahre Größe?

Ich will Ihnen nichts vormachen: Es gibt Frauen, denen Größe alles bedeutet. Sie werden zwar nicht das Maßband zur Hand nehmen, aber sie haben mit Sicherheit ihre Vorlieben. Manche Frauen mögen einen kleinen Penis, was zum Teil darauf zurückzuführen ist, dass sie eine kleine Scheide haben. Andere Frauen wiederum geben einem größeren Penis den Vorzug und meinen, je größer, desto besser. Doch für die meisten Frauen ist das, was mit dem Penis vollbracht wird, das Entscheidende.

Geheimtipp aus Lous Archiv

Manche Frauen sagen, dass sie den besten Sex nicht mit Männern erlebt haben, die einen besonders großen oder langen Penis hatten. Im Gegenteil – es waren gerade jene Männer, die weniger gut ausgestattet waren, da diese sich beim Liebesspiel nicht nur auf einen Körperteil verlassen. Die besseren Liebhaber setzen ihren ganzen Körper ein und bezogen auch den Körper der Frau stärker in das Liebesspiel mit ein.

Die meisten Männer haben eine kleinere Erektion, als Sie vielleicht denken. Nehmen wir beispielsweise die vier Größen der Lehrprodukte (d.h. Dildos), die ich in den Sexseminaren für Frauen zu Demonstrationszwecken benutze. Wenn ich sie auf den Tisch stelle und die Frauen bitte, die Größe auszuwählen, mit der sie sich am wohlsten fühlen, wählen sie oft das zwölf Zentimeter lange Modell ›Geschäftsmann‹ aus, weil sie damit am besten vertraut sind.

Natürlich sehen wir Frauen die männliche Erektion aus einem ganz anderen Blickwinkel. Wir sehen sie von unten, so dass sie größer scheint. Wir haben sozusagen Heimspielvorteil. Es ist eben alles eine Frage der Perspektive.

Geheimtipp aus Lous Archiv

Je kleiner ein Penis ist, desto mehr muss er darauf achten, dass er beim Geschlechtsverkehr in ihr bleibt, was seine Aufmerksamkeit und Konzentration erhöht. Und ein Mann mit kleinerem Penis kann sie auch eher in tieferen Stellungen lieben, weil er dabei nicht an ihren Muttermund stoßen wird.

---

6 mal Sex: Die besten Stellungen

Lassen Sie sich nicht von Büchern beeindrucken, die angeblich »1001 Positionen« zeigen. Solche Werke führen bloß dazu, dass Sie sich unzulänglich fühlen, weil sie Positionen enthalten, von denen Sie noch nie gehört haben. Das Einzige, worauf es bei der Wahl einer Stellung ankommt, sind Ihre Vorlieben und die Ihrer Partnerin. Und bedenken Sie, dass die Positionen in Pornofilmen für die betroffenen Damen keinesfalls angenehm sind. Ein Freund erzählte mir, dass er sich solche Filme ansehe, um daran seine eigene Leistung zu messen. Als ich ihm sagte, dass diese Sex-Szenen nach einem völlig realitätsfernen Drehbuch verlaufen, von Schauspielern dargestellt, mit Ton versehen und geschickt geschnitten werden, war er schockiert. Und dies war die Reaktion eines Fernsehproduzenten!

Paare nehmen beim Liebesspiel normalerweise zwei bis drei verschiedene Stellungen ein, bevor sie zum Orgasmus kommen (oder auch nicht). Dennoch sollten Sie nicht denken, dass mit Ihnen oder Ihrer Partnerin irgendetwas nicht in Ordnung ist, nur weil Sie die Missionarsstellung bevorzugen. Wichtig ist, das zu tun, was für Sie beide angenehm ist und Ihnen das meiste Vergnügen bereitet. Ich persönlich halte es zwar für gut, bei allen Formen sexueller Intimität Vielfalt zu erleben, doch das Entscheidende ist, selbstauferlegte Grenzen zu überwinden und für sich persönlich höchste Lust zu erleben.

Geheimtipp aus Lous Archiv

Als ich einem Freund einmal sagte, es gebe nur sechs Stellungen beim Geschlechtsverkehr, antwortete er: »Nein, das stimmt nicht. Es gibt nur eine – man ist drin!«

Im Grunde gibt es nur sechs Stellungen mit verschiedenen Variationen: Der Mann oben, die Frau oben, nebeneinander, von hinten, im Stehen und im Sitzen bzw. Knien.

Der Mann oben

Bei dieser Stellung befinden Sie sich beim Geschlechtsverkehr oben. Es ist eine der am häufigsten praktizierten Stellungen, die Frauen und Männer oft auch am meisten genießen. Diese Vorliebe ist zum größten Teil darauf zurückzuführen, dass sie besondere Verbundenheit ermöglicht und den Partnern die Gelegenheit bietet, den Gesichtsausdruck des anderen zu beobachten und einander in die Augen zu schauen. Zudem können Sie die Partnerin auf diese Weise besser spüren.

Die Bezeichnung ›Missionarsstellung‹ geht auf die Eingeborenen auf den Südseeinseln zurück, die die Missionare in dieser Position beobachteten. Die Stämme auf diesen Inseln betrachteten diese Stellung als etwas Neues, da sie Stellungen mit der Frau oben oder Positionen von hinten bevorzugten.

Die Frau liegt auf dem Rücken, während der Mann auf ihr liegt oder sich leicht seitlich von ihr befindet. Männer sagen, dass sie diese Stellung mögen, weil sie dabei die Tiefe der Penetration und die Stoßgeschwindigkeit steuern können, abhängig davon, wie nah sie dem Orgasmus sind. Frauen mögen die Position, weil mehr Körperkontakt gegeben ist als bei den anderen Stellungen. Auch wenn andere Positionen vielleicht aufregender sind, ist diese die romantischste. Man kann sich dabei küssen und miteinander schmusen und viele Frauen sagen, dass sie sich sicher und beschützt fühlen.

Diese Stellung ist auch besonders gut für die koitale Ausrichtungstechnik geeignet.

Achten Sie bei *Position A* auf die etwas andere Stellung der Füße, die wesentlich zu der koitalen Ausrichtung beitragen kann, indem Sie Ihre Füße an den Füßen Ihrer Partnerin abstützen. Wenn Sie die Hüften zusammenhalten, sodass Ihr Becken in ständigem Kontakt mit ihrem Klitoris- und Vulvabereich ist, verhindern Sie eine Unterbrechung der Stimulation, und Sie können besonders tief in Ihre Partnerin eindringen. Sie kann Sie dabei unterstützen, indem Sie fest Ihr Gesäß umfasst. Achten Sie in der Zeichnung auf die Füße. Sehen Sie, dass ihre Beine recht nah beieinander sind (der Abstand beträgt etwa 30 Zentimeter) und ihre Füße zur Seite ausgerichtet sind, sodass die Zehen zu den Bettseiten zeigen? Ich habe mir erklären lassen, dass sich der Mann an der Oberseite ihrer an-

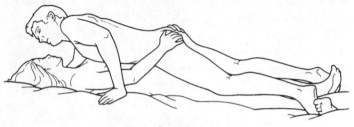

Mann oben – Position A

gespannten Füße abstützen kann, wenn sich ihre Füße und Beine in dieser Position befinden. Diese Stellung ist perfekt geeignet für die kleinen, konstanten Stoßbewegungen der koitalen Ausrichtungstechnik. Sie ist auch empfehlenswert für jene Frauen, die die Muskelanspannung genießen und brauchen, um zum Orgasmus zu kommen. Wenn der Mann größer ist, lässt sich dieser Effekt erzielen, indem er sich an der Wand oder am Fußende des Betts abstützt.

Die nächste Variante dieser Stellung bezeichne ich als BAS-Variation (Besser als Sex) von Position A. Sie ist für die Athleten unter Ihnen gedacht. Dabei können Sie vollständigen Körperkontakt zu Ihrer Partnerin halten, während Sie den Beckendruck erhöhen. Zugleich ermöglicht diese Position kleine Stoßbewegungen, da der Mann beide Beine als Hebelpunkt nutzt. Und so wird's gemacht:

Schritt 1: Der Mann ist in die Frau eingedrungen und drückt nun von außen ihre Beine mit seinen Beinen zusammen.

Schritt 2: Dann beugt er die Knie und »hakt« seine Füße unter den Beinen der Frau »ein«.

Schritt 3: Er hebt seine Beine an und drückt dabei vorsichtig ihre Beine ein Stück nach oben, wodurch der Druck seines Beckens auf ihre Klitoris erhöht wird und gleichzeitig ein wunderbarer, warmer Körperkontakt entsteht.

Mann oben – Position B

In *Position B* liegt die Frau mit dem Po auf einem Kissen. Dadurch wird der Winkel des Scheideneingangs erhöht. Das Kissen bietet einen schönen, entspannenden Platz für ihren Rücken und erleichtert es dem Mann, kräftige Stoßbewegungen auszuführen und dabei in ihr drin zu bleiben. Wenn ein Kissen benutzt wird, kommt es nicht so leicht zum unabsichtlichen Herausrutschen des Penis. Wenn sie die Beine um seine Hüften schlingt, kann sie auch die Bewegung steuern und sich zur tieferen Penetration weiter öffnen. Muss ich noch erwähnen, dass diese Stellung auch hervorragend zum Küssen geeignet ist?

In Position C drückt der Mann den Rücken durch, was ein großer Vorteil für Frauen ist, die die Stimulation der vorderen Scheidenwand und des G-Punkts genießen und sich bei Positionen, bei denen er von hinten eindringt, nicht wohl fühlen. Diese Stellung ist für Männer mit Rückenproblemen nicht gut

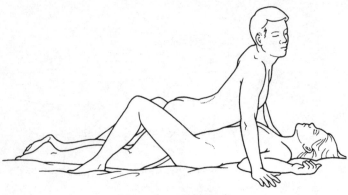

Mann oben – Position C

geeignet, aber Männer mit trainierten Bauchmuskeln können sie in dieser Position wunderbar zur Schau stellen.

Geheimtipp aus Lous Archiv

Jegliche Art körperlicher Betätigung, Sex eingeschlossen, kann beginnende Kopfschmerzen vertreiben.

Frau oben

Viele Frauen bevorzugen diese Stellung, da sie dabei Penetration und Geschwindigkeit steuern können, denn sie sind hier diejenigen, die die Stoßbewegungen ausführen. Diese Stellung ist auch gut geeignet, wenn die Frau größer oder deutlich kleiner ist als ihr Partner. In *Position A* macht die Frau dasselbe wie der Mann in der oben beschriebenen Position A (Der Mann oben). Sie stützt sich mit den Füßen ab, um mit ihrer Klitoris engen Kontakt zu ihrem Partner zu haben und mit dem Becken wiegende Bewegungen zu machen. Da sich ihre

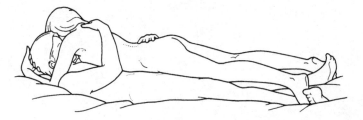

Frau oben – Position A

Beine zwischen seinen befinden, kann sie durch das Zusammendrücken der Beine noch mehr Druck auf ihren Vulva- und
Klitorisbereich ausüben.

Bei Stellungen, bei denen die Frau oben ist, sitzt sie meistens
rittlings auf ihm, wobei der größte Teil ihres Gewichts gleichmäßig auf ihren Knien verteilt ist. Dabei kann sie entweder
den Mann ansehen oder auf seine Füße schauen (*Position C*).
Eine weitere Variation dieser Stellung besteht darin, dass sie

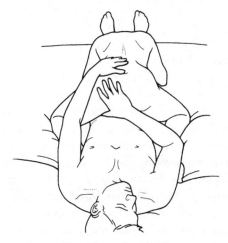

Frau oben – Position B

Frau oben – Position C

auf dem Mann liegt, wobei sich ihre Beine zu beiden Seiten seines Körpers befinden (*Position B*). Bei dieser Stellung muss die Frau viel stärker arbeiten und manche behaupten, dass man dazu die »Oberschenkelmuskeln eines Ski-Abfahrtsläufers« braucht. Männern gefällt diese Position sehr, da sie dabei den Körper der Partnerin gut im Blickfeld haben. Sie beobachten gerne, wie sich die Brüste der Partnerin bei jeder Stoßbewegung auf und ab bewegen, und mögen es, wenn ihr Haar auf ihre Brust oder ihr Gesicht fällt. Ein Zeitschriftenherausgeber aus San Francisco erinnert sich: »Ich wusste, dass das meine Lieblingsposition sein würde, seitdem ich mit vierzehn Jahren einen Pornofilm gesehen habe, in dem sich eine Frau mit einem weiten Rock auf einen Mann setzte. Wenn meine Frau diese Position einnimmt, muss ich mich richtig anstrengen, dass ich nicht sofort komme.«

Im Allgemeinen finden Frauen die Variationen dieser Position sehr aufregend, weil sie dabei das Gefühl haben, Regie zu führen. Andererseits sagen die Frauen, die diese Stellung nicht mögen, dass sie ihren Körper nicht gern so zur Schau stellen.

Wenn Sie das Gefühl haben, dass Ihre Partnerin sich unwohl dabei fühlt, sagen sie ihr, dass sie ihren Körper lieben, oder ermutigen Sie sie nicht dazu, sich in eine so verletzbare Position zu bringen. Vielleicht fühlt sie sich auch wohler, wenn sie einen hübschen BH oder ein seidiges Hemd dabei anbehält.

Geheimtipp aus Lous Archiv

Egal, wie attraktiv Sie eine Frau finden, sollten Sie ihr nicht sagen, dass Sie ihren Körper lieben, wenn Sie noch nie mit ihr geschlafen haben. Sie würde das nur als Trick betrachten, sie ins Bett zu bekommen. Sparen Sie sich dieses Kompliment für hinterher auf, denn dann ist es glaubwürdig.

Tipps

- Um die Chance zu erhöhen, dass sie beim Geschlechtsverkehr (mit Ihnen zusammen) einen Orgasmus bekommt, stimulieren Sie ihre Klitoris, bis sie kurz vor dem Orgasmus ist, und nehmen dann eine Stellung ein, bei der sie sich oben befindet. Wenn Sie jetzt eine Stoßbewegung ausführen, kann sie den Höhepunkt erleben, während Sie in Ihrem Innern sind (Position C, wobei sie Sie anschaut).

- Sie kann selbst ihren G-Punkt an der vorderen Scheidenwand stimulieren und wenn Sie ihren Po mögen, können Sie mit ihm spielen.

- Position B ist nur dann gut, wenn sich der erigierte Penis des Mannes in diese Richtung biegt. Auch für Paare, die das Analspiel lieben, ist Position B eine wunderbare Stellung. Wenn sie sich nach vorne lehnt, sodass ihre Brust auf seinen Beinen ruht, kann er ihren After streicheln, und sie kann sich ganz ihrer Lust hingeben.

Geheimtipp aus Lous Archiv

Während es von der Biologie her unbedingt notwendig ist, dass der Mann zum Orgasmus kommt, damit wir Menschen uns fortpflanzen können, ist bei der Frau kein Orgasmus nötig, um ein Kind zu empfangen. Doch es gibt Berichte, in denen es heißt, dass eine Frau die Empfängnis fördern kann, wenn sie beim Geschlechtsverkehr zum Orgasmus kommt. Beim Orgasmus taucht nämlich der Hals des Muttermunds rhythmisch in das Sperma ein, das sich am oberen Ende der Scheide sammelt. Früher hielt man es für eine Empfängnis für unbedingt notwendig, dass die Frau einen Orgasmus hatte. Vielleicht wussten unsere Vorfahren und Mutter Natur mehr als wir denken!

Nebeneinander

Bei dieser Position liegen der Mann und die Frau auf der Seite, die Beine wie eine Schere ineinander verschlungen. Sie können einander das Gesicht zugewandt haben, oder Sie können hinter ihr liegen.

Das Schöne an dieser Position ist, dass der Mann in dieser Stellung sehr ausdauernd Stoßbewegungen ausüben kann, ohne zum Höhepunkt zu kommen. Sie bietet Paaren die Möglichkeit, die intime Begegnung länger auszukosten. Und da die

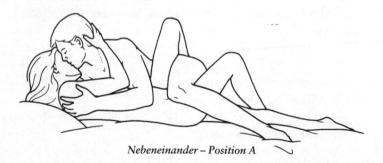

Nebeneinander – Position A

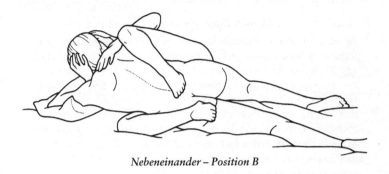

Nebeneinander – Position B

Penetration in dieser Position nicht so tief ist, sagen Frauen, deren Partner einen außergewöhnlich langen Penis hat, dass der Geschlechtsverkehr so für sie angenehmer ist. Ähnlich wie bei der Positionen, bei der der Mann oben liegt, kann man sich auch hier gut küssen und umarmen.

Die Abbildung zu *Position A* zeigt sehr schön, wie die Beine miteinander verschlungen sind. Jetzt müssen Sie nur noch das obere Bein anheben und sie aufs Bett fallen lassen. Nun haben Sie eine völlig neue Position, in der Sie manuell ihre Klitoris oder ihre Brüste liebkosen können.

In *Position B* hat sie ihre Beine fest um ihn geschlungen und kann ihn bei seinen Bewegungen so eng an sich drücken, wie sie es mag.

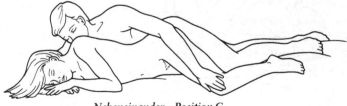

Nebeneinander – Position C

Position C wird auch die »Löffelposition« genannt, bei der der Mann wunderbar ihren ganzen Körper verwöhnen kann. Das Schönste an dieser Stellung ist aber, dass man anschließend bequem und geborgen in den Armen des Partners einschlafen kann.

Es gibt eine Variation von Position C, die wieder eher für die Athleten unter Ihnen gedacht ist. Und so geht's:

Schritt 1: Der Mann dringt mit seinem Penis von hinten in ihre Scheide ein. Sie zieht dann ihr oberes Bein nah an ihre Brust heran.

Schritt 2: Während er sie weiter penetriert, verschiebt er seine Position von hinten ein Stück nach vorn, sodass er mehr über ihrer Hüfte ist. Jetzt ruht sein ganzes Gewicht zwischen ihren Hüften und seinen Knien. Da seine Hände ihn nicht stützen, kann er jetzt eine noch intensivere Stimulation von hinten schaffen.

Schritt 3: Angenommen, sie liegt auf der linken Seite, so kann er den kleinen Finger seiner linken Hand in ihren After einführen (nur ein kleines Stück und bitte sehr vorsichtig). Während er sanft seinen rechten Daumen in ihre Scheide einführt, um die Bandbreite der Empfindungen für sie weiter zu erhöhen, kann er den Zeigefinger seiner rechten Hand zur Stimulierung der Klitorisregion einsetzen.

Tipps

• Wenn Sie sich hinter ihr befinden, können Sie zusätzlich ihre Klitoris stimulieren.
• Die Penetration von hinten, wenn die Partner nebeneinander liegen, ist auch während einer Schwangerschaft zu empfehlen, da sie so ihren Bauch abstützen und er ihre vollen Brüsten streicheln kann, wenn sie es mag.

Mann von hinten

Viele Frauen sagen, dass die Position, in der der Mann von hinten in sie eindringt, besonders erotisch ist. Auch Männer empfinden diese Stellung als äußerst leidenschaftlich. Frauen sagen, dass sie die intensive Tiefe der Penetration und das Gefühl, »genommen« zu werden, genießen. Manche Frauen lieben auch die höhere Geschwindigkeit, und die Kraft der Stoßbewegungen, die er erreichen kann, wenn er ihre Hüften umfasst. Dann wieder kann der Mann die Geschwindigkeit seiner Stoßbewegungen steuern, wenn seine Partnerin Abwechslung oder langsame Stöße liebt.

Frauen, die bereits Kinder geboren haben, sind für die G-Punkt-Stimulation in dieser Position empfänglicher. Da die Scheide elastischer ist, kann der G-Punkt vom Penis leichter erreicht werden.

Bei dieser Position kann die Frau flach auf dem Bauch liegen, sodass der Scheideneingang eng ist (C). Andere Variationen sind: die Frau auf allen vieren (A), die Frau im Stehen, wobei sie den Oberkörper nach vorne beugt, oder die Frau auf der Seite liegend, wobei sie ihrem Partner den Rücken zukehrt. Der Mann dringt jeweils von hinten und nicht von vorn in ihre Scheide ein. Männer sagen, dass sie in dieser Stellung eine tolle

Mann von hinten – Position A

Mann von hinten – Position B

Wärme empfinden, die durch die Berührung seiner Oberschenkel mit ihrer Lendengegend und ihrem Po entsteht.

In *Position A* kann der Mann gut den Rücken der Partnerin küssen. Hier sind Kissen, die unter ihre Brust geschoben werden, wieder sehr praktisch. Bei Position B kann der Mann ihren ganzen Körper streicheln, und sie kann seine Wärme spüren und sich völlig in die Empfindungen hineinfallen lassen. Sie könnte die Beine auch ausstrecken, um stärkere Stöße zu ermöglichen.

Geheimtipp aus Lous Archiv

Position B von hinten ist eine gute Position für den Strand. Schieben Sie einfach das Bikinihöschen zur Seite, und los geht's.

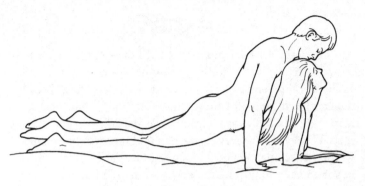

Mann von hinten – Position C

Tipps

- Der einzige Nachteil beim Sex von hinten besteht darin, dass er für Männer sehr erotisch ist und sie schneller zum Höhepunkt kommen als in anderen Stellungen.
- Diese Position kann für Ihre Partnerin jedoch sehr schmerzhaft sein, wenn sie schon mal einen Gebärmuttervorfall gehabt oder einen Partner mit sehr langem Penis hat, da dieser gegen ihren Muttermundhals stoßen könnte.
- Sie können sie gut zusätzlich mit den Händen stimulieren, während Sie sie penetrieren.

Geheimtipp aus Lous Archiv

Ein Zahnarzt erzählte mir: »Diese Stellung riecht stärker nach Sex, und ich liebe das Animalische daran.«

Im Stehen

Aus Gründen des Gleichgewichts wird diese Position am besten ausgeführt, wenn die Frau an einer Wand lehnt und der Mann vor ihr steht, es sei denn, er ist besonders stark. Die Dusche und Pool sind oft kein so guter Ort, wie Sie vielleicht denken, und das hat einen Grund: Die natürliche Feuchtigkeit Ihrer Partnerin wird weggewaschen und Ihre Stoßbewegungen werden durch das Wasser erschwert, nicht erleichtert. Positionen im Stehen funktionieren besser, wenn die Frau dabei liegt. Sie können dann nämlich die stärksten Muskeln Ihres Körpers – die Oberschenkelmuskeln – besonders vorteilhaft einsetzen. Auch wenn andere Stellungen für eine lange, romantische, sexuelle Begegnung besser geeignet sind, ist diese Position toll für heißen, drängenden Sex. In ihrer einfachsten Form stehen beide Partner. Dazu muss man sich nicht ganz ausziehen (ein Plus, wenn Sie es eilig haben) und man braucht auch nur wenig Platz.

Position A zeigt eine Variation der Position Frau-auf-dem-Tisch. Wenn Sie in Ihre Partnerin eingedrungen sind, halten Sie ihre Hüften fest und legen ihre Fersen auf Ihre Schultern, sodass ihre Hüften und die offenen Schamlippen direkt an Ihrem Körper anliegen. Männer sagen, dass sie auf diese Weise viel sehen und mehr Sexduft riechen können (es ist fast eine Umkehrung der Position von hinten). Der Rücken Ihrer Partnerin sollte eine gerade Linie bilden. Dies ist am einfachsten, wenn sie die Fersen fest an Ihren Rücken presst. Warum diese Position so gut ist? Ihr Penis bearbeitet ihren G-Punkt-Bereich sehr intensiv, während sie mit ihrer Klitoris spielen kann.

In *Position B* kann der Mann ihre Genitalien gut sehen und sehr tief eindringen. Die Frau kann seine Penetration durch

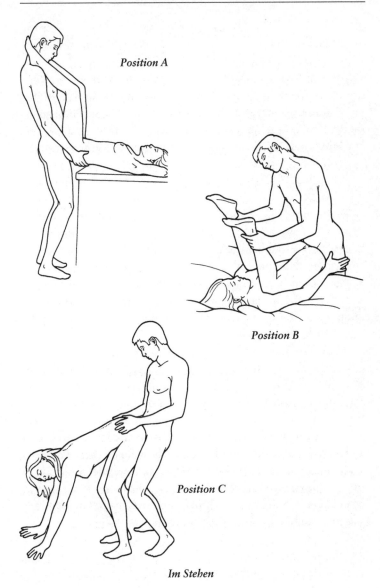

Position A

Position B

Position C

Im Stehen

das Anspannen ihrer Oberschenkel steuern. Eine Variation dieser Position besteht darin, ihre Knie nach außen zu richten.

Position C nenne ich gern »sie im Garten nehmen«. Dies Position ist für Quickies wie gemacht! Ein Mann bemerkte zu dieser Stellung: »Meine Partnerin hat einen großen Spiegel in ihrem Flur und ich beobachte gerne, wie ihre Brüste hin und her schwingen, wenn ich stoße. Etwas Besseres gibt es nicht!«

Tipps

• Wenn Sie diese Position ausprobieren, sollten Sie darauf achten, dass Sie Ihre Knie zusammenhalten und bequem an einer Wand lehnen. Ich habe Geschichten gehört, in denen Männer dabei im unpassendsten Moment umgefallen sind.

• Wenn Ihre Partnerin ihre Beine um Sie schlingt, sollten Sie darauf achten, dass sie Schuhe mit hohen Absätzen vorher auszieht. Sie können Ihrer Wadenmuskulatur ernsten Schaden zufügen.

Im Sitzen oder Knien

Positionen im Sitzen oder Knien sind eine Abwandlung der Stellungen, bei denen die Partner nebeneinander liegen, und der Positionen, bei denen sie sich ansehen. Viele Paare lieben sich gerne im Sitzen oder Knien, da diese Positionen Abwechslung in ihr Sexleben bringen. Obwohl bei einigen die Bewegungsfreiheit eingeschränkt ist (es sei denn, sie befindet sich über ihm), ermöglicht diese Stellung im Allgemeinen wunderbaren Gesichts- und Körperkontakt.

Position A und *B* verleihen Ihren Esszimmerstühlen eine ganz neue Bedeutung! In *Position A* muss sich die Frau am Stuhl fest

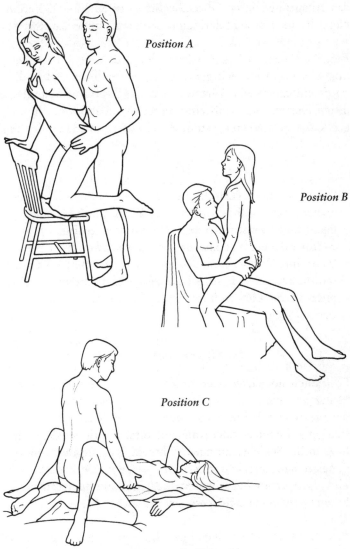

Position A

Position B

Position C

Im Sitzen oder Knien

halten, um nicht das Gleichgewicht zu verlieren – sie könnte sonst durch Ihre Stoßbewegungen vom Stuhl fallen. Sie hat hier größte Bewegungsfreiheit mit den Hüften, während er still hält.

In *Position C* stützen seine Oberschenkel die Rückseite ihrer Beine, und sie hat ein Kissen unter ihre Hüften geschoben, damit sie für die Penetration auf der richtigen Höhe ist. Sie umfassen ihre Hüften, um sie möglichst nah an sich zu halten. Ihre Stoßbewegungen werden ihre Brüste zum Hüpfen bringen – ein sehr erregender Anblick. Eine Variation besteht darin, ihre Kniekehlen in Ihrer Ellbogenbeuge zu platzieren, ähnlich wie bei einer Curl-Übung mit Hanteln im Fitness-Studio. Wenn Sie nun mit dem ganzen Arm »Curls« ausführen, wird sie nicht nur das Ergebnis Ihres harten Krafttrainings bewundern können – Sie werden auch die Stimulation der Eichel in ihrem Innern erleben, während bei ihr die G-Punkt-Zone stimuliert wird.

Tipps

- Sie kann rittlings auf Ihrem Schoß sitzen und Ihnen den Rücken zuwenden, oder Sie könnte seitlich auf Ihrem Schoß sitzen.
- Eine praktische Position, um von einer Stellung, in der sich die Frau oben befindet, zu einer anderen überzugehen: Die Frau schiebt ihre Beine nach vorne und der Mann kann sich hinsetzen.
- Auf einem Stuhl zu sitzen ist eine gute Stellung für Paare, die einen Quickie machen wollen, oder wenn die Frau schwanger ist.

Profitipps für fantastischen Geschlechtsverkehr

- Wenn Sie beim Geschlechtsverkehr ein brennendes Gefühl verspüren, sollten Sie überprüfen, ob Sie mehr Gleitmittel brauchen, oder ob Sie versehentlich ein Gleitmittel mit Nonoxynol-9 verwendet haben. Wenn dies nicht der Fall ist, sollten Sie Ihren Arzt aufsuchen und sich auf eine Infektion oder eine sexuell übertragbare Krankheit untersuchen lassen.

- Wenn Ihre Partnerin beim Geschlechtsverkehr über Schmerzen klagt, könnte Ihr Penis an den Muttermundhals oder die Gebärmutter stoßen. Versuchen Sie es mit einer anderen Stellung. Andere Gründe könnte die Reizung der Narbe eines Dammschnitts oder einer durch eine sexuell übertragbare Krankheit hervorgerufenen wunden Stelle sein. Ihre Partnerin könnte auch allergisch auf Ihr Sperma reagieren.

- Unabhängig davon, wie viel Sie üben und wie viele verschiedene Techniken und Positionen Sie in Ihr sexuelles Repertoire aufnehmen, liegt echte sexuelle Erfüllung beim Geschlechtsverkehr darin, Hemmungen abzulegen und das Zusammensein mit der Partnerin zu genießen.

Geheimtipp aus Lous Archiv

Ein Arzt meinte, man sollte eigentlich drei Geschlechter unterscheiden: Frauen, Schwangere und Männer. Schwangere sind von nichtschwangeren Frauen so verschieden wie von Männern.

Gute Stellungen während der Schwangerschaft

Mutter Natur hat nicht die Absicht, uns grundsätzlich vom
Sex abzuhalten, wenn die Frau schwanger ist. Manche Frauen
berichten, dass sie während einer Schwangerschaft den besten
Sex ihres Lebens hatten, während andere in dieser Zeit überhaupt keine Lust haben. Fragen Sie Ihre schwangere Partnerin
also erst, wie sie sich fühlt. Eine Frau erzählte: »Ich würde gerne
wieder solchen Sex wie während meiner Schwangerschaft haben – ich konnte so leicht kommen. Jetzt, zehn Monate später,
ist es viel schwieriger.« Andererseits gibt es Frauen, die aufgrund starker Übelkeit am Morgen oder allgemeinem körperlichem Unwohlseins überhaupt nicht mit ihrem Partner schlafen
möchten. In diesem Fall sollten Sie sich ganz nach ihr richten.
In den ersten Schwangerschaftsmonaten sind die Stellungen, bei
denen sich der Mann oder die Frau oben befindet, gut geeignet, aber wenn ihr Bauch größer wird, werden diese Positionen
immer schwieriger. In den späteren Phasen der Schwangerschaft
sind Positionen nebeneinander (A und C) und Stellungen im
Sitzen und Knien (A und B) zu empfehlen. Sie befinden sich
dann nicht auf ihr, sind ihr aber dennoch nah. Die klassische
»Löffel«-Position nebeneinander (C) funktioniert gut, weil ihr
Bauch gestützt wird und eine zu tiefe Penetration nicht möglich
ist. Gegen Ende der Schwangerschaft bevorzugen manche Paare
Stellungen im Sitzen, wobei Sie entweder zur Seite schauen
oder sich anschauen, was von der Größe ihres Babybauchs ab-
hängt.

Analsex oder kein Analsex?

Manche Frauen lieben ihn, andere hassen ihn. Genau wie beim Schlucken von Sperma scheint es keinen Mittelweg zu geben, wenn es darum geht, wie Frauen analen Sex erleben. Sie gehören entweder dem einen oder dem anderen Lager an. Die meisten Frauen haben analen Sex mindestens einmal ausprobiert (meistens, weil der Partner es vorgeschlagen hat). Frauen, die gerne so penetriert werden, sagen, dass das Gefühl ungeheuer intensiv ist.

Zum Teil schrecken Männer und Frauen vor analem Sex zurück, weil er noch immer ein sehr schlechtes »Image« hat. Tristan Taormino schrieb in ihrem Buch *The Ultimate Guide to Anal Sex for Women,* dass es zehn vorherrschende Vorurteile gegenüber Analsex gibt:

1. Analsex ist widernatürlich und unmoralisch.
2. Nur Schlampen, Perverse und merkwürdige Typen haben analen Sex.
3. After und Mastdarm sind nicht erotisch und wecken keine sexuellen Gefühle.
4. Analer Sex ist schmutzig und eklig.
5. Nur Schwule haben analen Sex.
6. Heterosexuelle Männer, die analen Sex mögen, müssen homosexuell sein.
7. Analsex tut weh.
8. Frauen genießen analen Sex nicht; sie lassen in bloß über sich ergehen, um dem Partner einen Gefallen zu tun.
9. Analsex ist die einfachste Möglichkeit, AIDS zu bekommen.
10. Analer Sex ist ein Tabu.

Diese Vorurteile gegenüber analem Sex sind im Zusammenhang mit altmodischen, moralistischen Überzeugungen zu sehen, denen zufolge Sex nur der Fortpflanzung dient. Meiner Meinung nach ist nichts weiter von der Wahrheit entfernt. Sex ist nicht nur die beste Möglichkeit für zwei Menschen, einander durch gemeinsames Vergnügen ihre Liebe und Zusammengehörigkeit zu zeigen, sondern auch eine sehr persönliche Ausdrucksweise, die nie als pervers verurteilt werden sollte. Wenn es keinem der Partner wehtut, ist es ganz natürlich und gut.

Manche Frauen mögen die anale Penetration vor allem, während sie gleichzeitig klitorial stimuliert werden. Bei anderen Frauen ist die Intensität der analen Penetration zu überwältigend, sodass es ihnen unmöglich ist, dabei zum Höhepunkt zu kommen. Ein Grund, warum es für manche Menschen schwierig ist, das anale Spiel zu genießen, besteht darin, dass es zwei Schließmuskeln gibt, die vorher entspannt werden müssen. Wie ich bereits erläutert habe, kann ein Schließmuskel willkürlich kontrolliert werden, während der andere der unwillkürlichen Steuerung unterliegt und sich nicht bewusst entspannen lässt, egal, wie sehr man dies auch versucht. Eine gute Möglichkeit, den After zu entspannen, besteht darin, erst einen Finger eine Minute lang und dann zwei Finger zwei Minuten lang einzuführen. Ich rate auch zur großzügigen Verwendung von Gleitmittel, da dieser Bereich nicht natürlich feucht wird. Sie könnten Ihre Partnerin auch bitten, gleichzeitig nach unten zu drücken, wodurch die Schließmuskeln entspannt werden und Ihnen das Eindringen erleichtert wird.

Tipps für aufregenden Analsex:

- Bei der besten Position für das Eindringen von hinten hält sie die Schultern nach unten und stützt sich auf ein Kissen. Sie können ihren After dabei mit dem Daumen massieren.

- Eine weitere gute Position: Sie liegt mit angezogenen Beinen auf dem Rücken, unter ihren Hüften befindet sich ein Kissen. Sie kann nun die Unterarme unter ihre Oberschenkel haken, um die Krümmung zu verstärken und Ihnen mehr Zugang zum After zu gewähren.

- Üben Sie danach erst wieder vaginalen Geschlechtsverkehr aus, wenn Sie Ihren Penis gewaschen oder das Kondom gewechselt haben. Sonst könnte sie sich eine Infektion zuziehen.

- Finger oder Spielzeug oder Penis sollten immer *sehr* langsam herausgezogen werden!

Noch ein Wort
an den perfekten Liebhaber

In den vielen Jahren, in denen ich nun schon mit Männern und Frauen zusammenarbeite und mir ihre Erfahrungen in Sachen Sexualität anhöre, habe ich immer wieder festgestellt, dass für großartigen Sex ein einfühlsamer, furchtloser und abenteuerlustiger Liebhaber nötig ist. Aber auch wenn die Techniken, Positionen und Hinweise, die ich Ihnen in diesem Buch verraten habe, für technisches Können sorgen, hängt Ihre Qualität als Liebhaber ganz entscheidend von Ihrer Einstellung ab. Toller Sex hat viel mit Selbstbewusstsein und Selbstvertrauen zu tun, und es geht dabei vor allem darum, der Geliebten Genuss zu bereiten und Fürsorge zu zeigen.

Bei meiner Arbeit habe ich auch gelernt, dass das sexuelle Erlebnis am tiefsten und befriedigendsten ist, wenn zwei Menschen offen und ehrlich zueinander sind und respektvoll miteinander kommunizieren. Wenn Sie diese Grundsätze beherzigen, sind der Leidenschaft, der Spontaneität und dem wunderbaren, seelenverschmelzenden Sex keine Grenzen gesetzt. Ich habe dieses Buch in der Hoffnung geschrieben, dass es Ihnen hilft, diese wunderbare, genussvolle Erfahrung mit Ihrer Partnerin zu erreichen! Viel Spaß dabei!

Lob für Lou Pagets tolle Techniken

Was die Teilnehmer sagen …

»Ich beherrsche bereits fünf Sprachen, aber heute Abend, nach Ihrem Seminar, betrachte ich mich als Cunnilinguist.«

Führungskraft, 54, Pasadena

»Ich hatte keine Ahnung, dass dieses Thema mit so viel Takt und Eleganz behandelt werden kann, wobei gleichzeitig eine sachkundige und offene Botschaft vermittelt wird. Dieses Seminar ist wirklich einzigartig.«

Deutscher Dokumentarfilmregisseur, 58, Paris

»Ich habe mir Ihre Präsentation mit ein paar Freunden an meinem Junggesellenabend angesehen. Am nächsten Abend, als die Gäste nach unserer Hochzeit feierten, tanzten meine Freunde und ihre Frauen eng umschlungen, küssten sich und schmusten viel intensiver miteinander als sonst *und* die Frauen konnten mir gar nicht genug danken. Mein Dank an Sie!«

Verleger, 42, Indianapolis

»*Endlich!* Die Informationen, die wir Männer schon immer wollten und die die Frauen uns nicht vermittelt haben. Wenn ich noch mehr über meine Partnerin und darüber erfahren kann, wie ich sie befriedigen kann, geben Sie mir bitte Bescheid. Informationen waren in dieser Form bisher einfach nicht zu finden, und es ist gut, sie aus weiblicher Perspektive zu bekommen.«

Moderator einer Radio-Talkshow, 44, New Jersey

»In Ihrem dreistündigen Seminar habe ich mehr gelernt als in zwei Ehen.«

Systemingenieur, 47, Chicago

»Mich überrascht, dass Männer in Geldangelegenheiten nicht so arrogant sind wie in sexuellen Belangen, wenn es darum geht, etwas über Sex zu lernen. Männer reden ständig darüber, wie sie mehr Geld machen können, aber im Grunde wollen sie viel eher wissen, wie sie es bei ihrer Partnerin ›gut machen‹ können.«

Steuerberater, 51, Denver

»Ich wusste nicht, wie wenig ich wusste – ich und meine Verlobte danken Ihnen.«

Romanschriftsteller, 42, Santa Monica

»Danke, danke, danke! Wissen Sie, was für ein Schatz Sie sind? Jeder Mann, egal welchen Alters, sollte Ihre Kurse besuchen.«

Rechtsanwalt, 32, New York

»Seitdem mein Bruder und ich Ihren Kurs besucht haben, können wir viel offener miteinander reden (nicht nur das übliche Männergeschwätz). Ich glaube, Ihre Botschaft, dass wir unsere Sexualität respektieren sollten, war für mich das Wichtigste.«

Student, 25, St. Louis

»Es war ganz einfach: Sie haben mir gezeigt, wie ich meine Frau streicheln und berühren soll. Wenn ich diese Dinge doch schon vor vierzig Jahren gewusst hätte.«

Führungskraft, die kürzlich geheiratet hat, 64, Beverly Hills

»Mit vierzehn oder fünfzehn habe ich das ›Kamasutra‹ gelesen, und es ergab für mich ungefähr so viel Sinn wie ein Buch von Bobby Fischer über das Schachspielen. Ich konnte mir nur einen alten herzkranken Mann vorstellen, der diese Sachen ausprobiert und am dritten Tag in der Garage einen Herzinfarkt bekommt. Danke, dass wir endlich Sie als Informationsquelle haben.«

Fotograf, 47, Oakland

Was ihre Partnerinnen sagen ...

»Lou, ich bin die Frau von G., der letzte Woche an Ihrem Seminar teilgenommen hat. Ich kann nur sagen: Ich bin eine weitere *befriedigte* Kundin!«

Autorin, 47, Manhattan

»Wir hatten unser erstes Kind adoptiert, bevor wir beide an Ihren Seminaren teilgenommen haben. Drei Monate später war ich schwanger. Mein Mann und ich schreiben die Geburt unserer wunderbaren Tochter ganz allein Ihnen zu.«

Sängerin/Schauspielerin, 36, Encino

»Sie haben das Feuer in unserer vierzigjährigen Ehe neu entfacht – etwas, auf das wir gehofft haben und es immer noch nicht so recht glauben können.«

Führungskraft im Einzelhandel, 63, Las Vegas

»Ich bin erstaunt, wie leicht wir jetzt über sexuelle Dinge reden können. Nach dem Seminar sagte mein Mann, mit dem ich seit fünfzehn Jahren verheiratet bin, dass er unbedingt mit mir reden wolle, was wir auch getan haben! Wir haben herausgefunden, dass es Dinge gibt, die wir beide gern tun würden, aber bisher hatten wir nie den Mut, es einander zu sagen. Unglaublich, welchen Spaß wir jetzt haben!«

Produzentin, 41, Phoenix

»Zuerst dachte ich, er könnte sich gar nicht mehr verbessern, denn er war bereits ein toller Liebhaber. Aber das, was er in Ihrem Seminar gehört hat, gab ihm die Erlaubnis (ein besseres Wort fällt mir nicht ein), durch die unser gutes Sexualleben noch besser und schließlich einfach umwerfend wurde. Sexuell besteht zwischen unseren Körpern jetzt eine noch innigere Verbundenheit, die in unseren Herzen auf noch tieferer Ebene vorhanden ist.«

Hausfrau, 52, Minneapolis

»Es ist schon fast peinlich, wie offensichtlich die Ergebnisse des Seminars, an dem mein Mann teilgenommen hat, bei mir sind. Wenn mich noch eine Freundin fragt, warum ich so gut aussehe, werde ich einfach lachen und sagen, dass mein Mann an einem Kurs teilgenommen hat.«

Führungskraft im Marketing, 28, San Francisco

Dieses Buch wurde geschrieben, um zu informieren, zu lehren und das Bewusstsein zu erweitern. Sie müssen jedoch selbst entscheiden, ob die in diesem Buch beschriebenen Techniken für Sie geeignet sind, denn nur Sie kennen Ihren Körper und den Ihrer Partnerin gut genug dazu. Dieses Buch ist in keiner Weise Ersatz für eine Ehe- oder Partnerschaftsberatung.

Keiner der Verfasser oder Herausgeber dieses Buches ist Arzt,

Psychologe oder Sexualtherapeut, obwohl Mitglieder dieser Berufszweige zu bestimmten Fragen und Themen konsultiert wurden. Lassen Sie sich vorher auf jeden Fall von Ihrem Arzt beraten, wenn Sie unter einer Krankheit leiden, die anstrengende oder aufregende sexuelle Aktivitäten ausschließt. Sie sollten ebenfalls Ihren Arzt oder einen Sexualtherapeuten fragen, bevor Sie eine Ihnen unbekannte Technik ausprobieren; andernfalls tun Sie dies auf eigenes Risiko.

Weder die Autorin noch der Verlag sind gegenüber Personen oder Gesellschaften für tatsächlichen oder angeblichen Verlust, Schaden, Verletzungen oder Leiden haftbar, die direkt oder indirekt durch die Informationen oder das Fehlen von Informationen in diesem Buch verursacht werden.

Danksagung

Eine Sache, die man bei der Mitarbeit an einem Buch lernt, ist, dass niemand es allein schafft, und eine der schönsten Aufgaben besteht darin, den anderen Beteiligten zu zeigen, wie sehr man sie schätzt.

Das unterstützende Team

Die Frauen in meiner Familie, die immer für mich da waren: Dede, Katerna, Sherry, Lisa, Michelle und Carolyn. Tara Raucci, meine Assistentin, die mich jederzeit unterstützt hat. Jessica Kalkin, Bernard Spigner (mein »NP«), Matthew Davidge, Maura McAniff, Kendra King, Raymond Davi, T.J. Rosza, Priscilla Wallace, Sandra Beck, Jay Rosen, Alan Cochran, Michael Levin, Peter Greenberg, Nance Mitchell, Peter Redgrove, Morley Winnick, Gail Harrington, Elizabeth Hall, Eileen Michaels, Robert McGarvey, Mark Helm, Lilianna und Ali Morandi.

Das prüfende Team

Bernard Spigner, Matthew Davidge, Michael Levin, Marty Waldman, Rafi Tahmazian, Ron Ireland, Wayne Williams, David James, T.J. Rozsa, Jay Rosen, Craig Dellio.

Das kreative Team

Billie Fitzpatrick, der meine Stimme wieder meisterhaft in geschriebene Worte gefasst hat. Es war eine Produktion zwischen West- und Ostküste mit unzähligen E-Mails.

Debra Goldstein: Eine Agentin wie sie ist der Traum jedes Autors. Glückwunsch an Bodhi.

Lauren Marion, eine Redakteurin, die den nötigen Mut hat, einen Text zu bearbeiten und dies mit Stil tut. Und auch nach dem zweiten Buch mit Billie und mir ist ihr Lachen immer noch ungeheuer erfrischend. Ann Campbell, Lektorin, Cate Tynan, Assistentin, Bill Betts, Copy-Redakteur, »J«, der Illustrator, Andrea Thomas, Grafikern für den Buchumschlag.

Alle Mitarbeiter von Broadway Books und Creative Culture.

Das Team für Forschung und Entwicklung

Penelope Hitchock, D.V.M., Dr. Stephen Sacks, Dr. Beverly Whipple, Dr. Laura Berman, Linda Banner, M.S., Jacqueline Snow, M.N., C.N.P., Dr. Bernie Zilbergeld, Bryce Britton, M.S., Dennis Paradise, Eric Daar, M.D., Michael Loring Probst.

Register